고객이 반드시 물어보는 30가지 질문

생명보험 | **보장자산** 필수보험 | **"가장이 준비해야 될 최고의 상품"**입니다.
활동기에는 보장자산으로 노후에는 연금재원으로
한 가정의 행복을 지켜 드리는 보험입니다.

종신정기CI

종신·정기·CI

고반물질30은 **다모아미디어**의 고유자산으로 무단 전제·복제 및 임의 사용시 저작권법 위반으로 5년이하의 징역 혹은 5천만원 이하의 벌금형이 부과됩니다.

목차

1. 생명보험 상품에 대해 자세히 설명해 주세요?
2. 종신보험이 무엇이고, 왜? 가입하나요?
3. 숫자로 보는 종신보험?
4. 인생의 라이프사이클과 목적자금?
5. 종신보험이 왜? 멀티플레이어인가요?
6. 가장 부재시 보장자산 & 인생의 5대 필요자산?
7. 인생전반에 걸쳐 어떤 리스크에 대비해야 하나요?
8. 종신보험의 장점과 단점은?
9. 좋은 종신보험의 조건은?
10. 종신보험 가입시 주의해야 할 점은?
11. 종신보험은 누가 가입해야 하나요[1]?
12. 종신보험은 누가 가입해야 하나요[2]?
13. 종신보험의 트렌드가 변화하고 있다면서요?
14. 종신보험은 어떻게 진화해 왔나요?
15. 일반종신보험과 변액종신보험의 차이는 뭔가요?
16. 종신보험의 종류에 대해 설명해 주세요?
17. 유니버설종신보험에 대해 설명해 주세요?
18. 단기납종신보험에 대해 설명해 주세요?
19. 여성에 특화된 종신보험은 없나요?
20. 유병자도 가입가능한 간편종신보험에 대해 설명해 주세요?
21. 종신보험에서 연금전환 과연 좋은건가요?
22. 연금전환되는 종신보험 가입시 주의할 점은?
23. 정기보험이 무엇이고 종신보험과 정기보험의 차이는 어떻게 되나요?
24. 정기보험 가입시 주의해야 할 점은?
25. CI보험이 뭔가요?
26. CI보험에서 '중대한 질병'에 대해 자세히 설명해 주세요?
27. CI보험에서 '중대한 수술'에 대해 자세히 설명해 주세요?
28. 자살의 개념 vs 인정범위?
29. 사망보험금의 종류에 대해 자세히 설명해 주세요?
30. 사망보험금 어떤 경우에 지급되고 면책되는지 사례별로 자세히 설명해 주세요?

고반물질30은 다모아미디어의 고유자산으로 무단 전제·복제 및 임의 사용시 저작권법 위반으로 5년이하의 징역 혹은 5천만원 이하의 벌금형이 부과됩니다.

목차 [질문 1~10번]

1. 생명보험 상품에 대해 자세히 설명해 주세요?
2. 종신보험이 무엇이고, 왜? 가입하나요?
3. 숫자로 보는 종신보험?
4. 인생의 라이프사이클과 목적자금?
5. 종신보험이 왜? 멀티플레이어인가요?
6. 가장 부재시 보장자산 & 인생의 5대 필요자산?
7. 인생전반에 걸쳐 어떤 리스크에 대비해야 하나요?
8. 종신보험의 장점과 단점은?
9. 좋은 종신보험의 조건은?
10. 종신보험 가입시 주의해야 할 점은?

질문 01: 생명보험 상품에 대해 자세히 설명해 주세요?

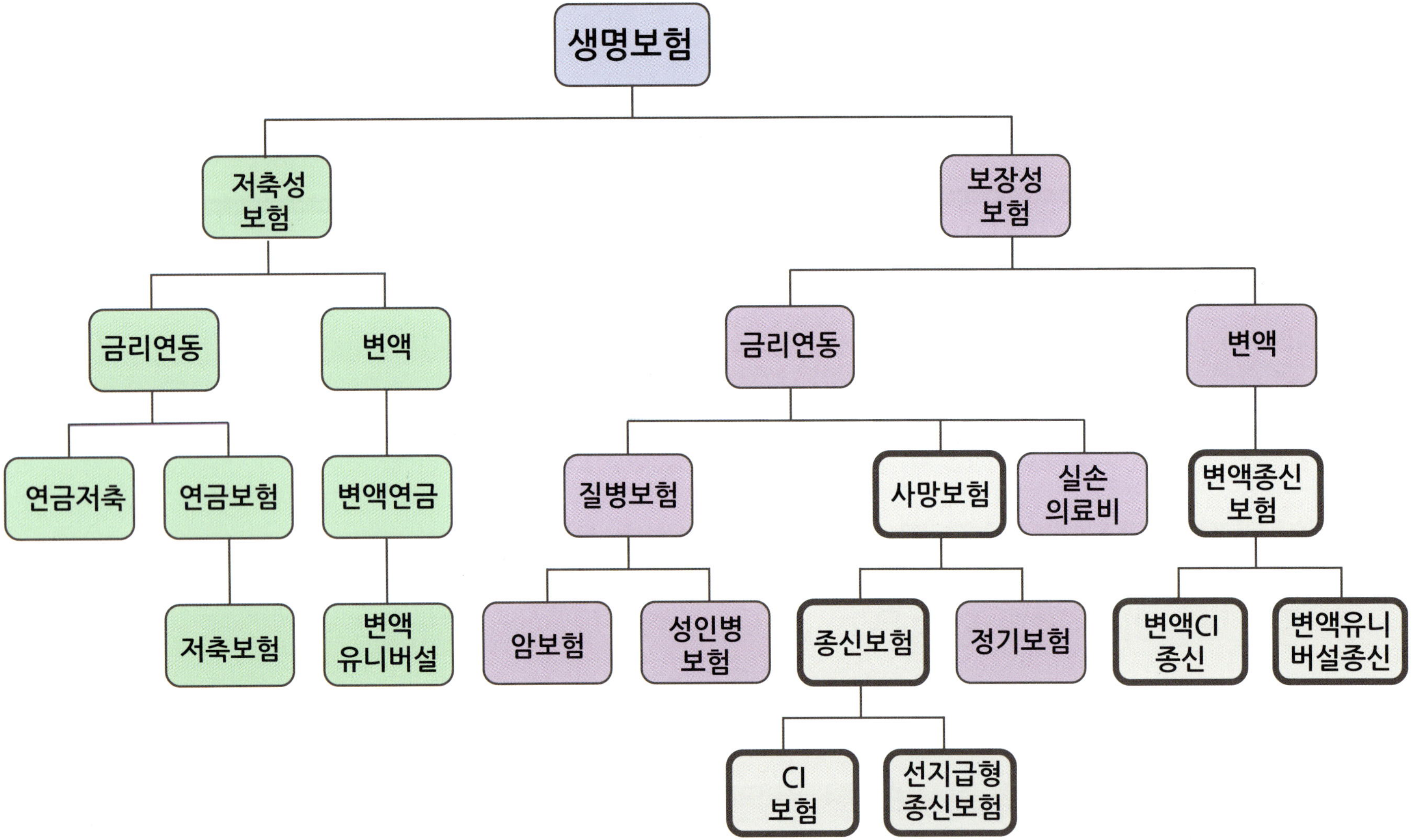

- 생명보험
  - 저축성 보험
    - 금리연동
      - 연금저축
      - 연금보험
        - 저축보험
    - 변액
      - 변액연금
        - 변액유니버설
  - 보장성 보험
    - 금리연동
      - 질병보험
        - 암보험
        - 성인병보험
      - 사망보험
        - 종신보험
          - CI보험
          - 선지급형 종신보험
        - 정기보험
      - 실손의료비
    - 변액
      - 변액종신보험
        - 변액CI종신
        - 변액유니버설종신

고반물질30은 다모아미디어의 고유자산으로 무단 전제·복제 및 임의 사용시 저작권법 위반으로 5년이하의 징역 혹은 5천만원 이하의 벌금형이 부과됩니다.

질문 02: 종신보험이 **무엇**이고, **왜?** **가입**하나요?

종신정기CI

정의 : 사망의 이유를 묻지 않고 사망시 사망보험금을 지급하는 보험

- 피보험자가 언젠가 사망하면 보험금을 100% 지급하는 상품
- 신체적 생명이 끝날 때(종신)까지 나를 돌보고, 치료비를 주고, 남은 가족을 지켜주는 보험
- 미국 MBA교재 : 종신보험을 자산축적용상품, 즉 자산을 모으고, 굴리고, 지키는 통장

세법상 저축성보험 / 평준보험료

- 상법상 보장성보험이나, 납입기간이 끝나면 환급금이 원금을 초과하므로 세법상 저축성보험
- 종신 : 생명표상 110세정도, 자연보험료가 아닌 '평준보험료'

사망보험금 최소 1억 / 일반사망 : 재해(상해)사망 + 질병사망 + 원인불명사망

- 아빠의 죽음과 오빠의 죽음은 다르다 : 최소사망보험금 : 1억
- 가입자 : 보험금 받을 확률 100% 확정된 '채권' / 보험사 : 언젠가는 반드시 지급해야 할 '부채'

멀티플레이어 / 평생비과세통장 / 다목적보험

- 달러 / 게임칩(=전환조건부채권) / 5588 / 추가납입(중단)
- 질병에 걸리면 즉시 치료, 장기화되면 간병비용, 필요시 목적자금, 노후에는 연금전환 등

질문 03 : 숫자로 보는 **종신보험**?

3년
사망보험금
청구 소멸시효
상법제662조

6.8%
사망원인 : 뇌혈관질환
2022년사망원인(통계청,2023년)

7.2%
사망원인_상해,재해
2022년사망원인(통계청,2023년)

9.1%
사망원인 : 심장질환
2022년사망원인(통계청,2023년)

20%
사망보험금 수익자
지정비율
금감원보도자료

21.9%
경제활동(60세이전)
남자 사망률
2020년사망원인(통계청,21년9월)

22.4%
사망원인 : 암
2022년사망원인(통계청,2023년)

53.8%
80세이상_사망율
2022년사망원인(통계청,2023년)

86.3세
기대수명_남자
10회 경험생명표(통계청,2024년)

90.7세
기대수명_여자
10회 경험생명표(통계청,2024년)

92.8%
사망원인_질병
2022년사망원인(통계청,2023년)

277만원
부부 매월
적정 노후생활비
DK뉴스(23년1월)

약 3,000만원
1인당 평균사망보험금
(2009~2018년 평균)
삼성생명 (2019)

9,186만원
가구당 평균부채
가계금융복지조사(23년3월)

1억원이상
바람직한 종신보험
최소 가입금액
필자생각

고반물질30은 **다모아미디어**의 고유자산으로 무단 전제·복제 및 임의 사용시 저작권법 위반으로 5년이하의 징역 혹은 5천만원 이하의 벌금형이 부과됩니다.

질문 04: 인생의 **라이프사이클**과 **목적자금**?

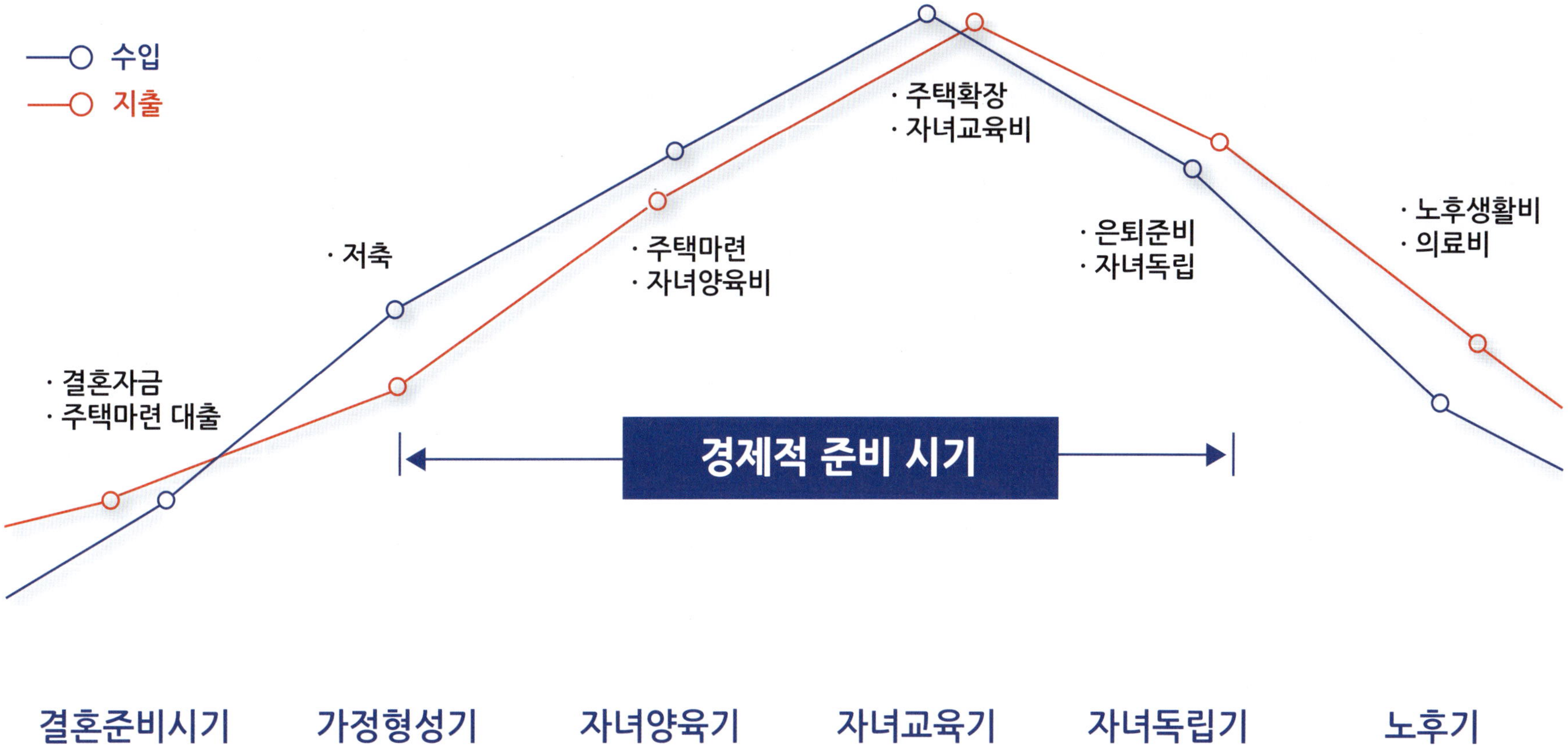

종신정기CI

- ○ 수입
- ○ 지출

· 결혼자금
· 주택마련 대출

· 저축

· 주택마련
· 자녀양육비

· 주택확장
· 자녀교육비

· 은퇴준비
· 자녀독립

· 노후생활비
· 의료비

경제적 준비 시기

| 결혼준비시기 | 가정형성기 | 자녀양육기 | 자녀교육기 | 자녀독립기 | 노후기 |

자녀교육비, 양육비, 자녀결혼, 주택마련, 은퇴준비, 의료비, 상속증여 등 인생의 목적자금

유일한 해결책 = 멀티플레이어 : **종신보험**

질문 05 종신보험이 **왜? 멀티플레이어**인가요?

 **종신보험_멀티플레이어?**

고정금리
상품구조상
고정금리 상품

비과세종합통장
추가납입으로
CMA통장 대체

목적자금
자녀결혼,교육자금,
결혼자금,노후자금

5588구간 해결
소득이 없는
5588구간
다목적 자산

상속증여
상속,증여자금으로
활용 가능

사망보장
언젠가는 100%
보장받는
사망보장

질문 06: 가장 부재시 **보장자산 & 인생의 5대 필요자산?**

가장부재시 필요한 **보장자산**

- 가구당 **생활비** (36개월)
  2억4천만원 필요

- 자녀1인당 **양육·교육비**
  3억원 필요

- 가계당 **가계빚**
  8256만원 필요

인생의 **5대 필요자산**

- **본인결혼** — 1인당 평균 결혼비용
  7천만

- **주택마련** — 2020년 수도권아파트 평균 가격
  4억5천

- **자녀교육** — 자녀 1인당 대학까지 교육비
  1억7천

- **자녀결혼** — 1인당 평균 결혼비용
  1.7억(남)/1억(여)

- **노후생활비** — 은퇴후 월평균 필요자금
  240만

종신정기CI

출처 : 결혼[한국소비자원,19년], 주택마련[디지털타임즈,20년], 자녀교육[교육인적자원부,19년], 자녀결혼[듀오웨드,19년], 노후생활비[국민연금관리공단,19년]

인생을 살아가면서 포기할 수 없는 자금들은 너무나 많습니다.

고반물질30은 다모아미디어의 고유자산으로 무단 전제·복제 및 임의 사용시 저작권법 위반으로 5년이하의 징역 혹은 5천만원 이하의 벌금형이 부과됩니다.

질문 07 인생전반에 걸쳐 **어떤 리스크에 대비**해야 하나요?

 ## 반드시 준비해야할 리스크?

사망·후유장해 리스크

1. 본인 사망 또는 부부 동시 사망
2. 현 생활수준 유지 불가능
3. 생활비, 비상자금, 자녀양육비, 교육자금등
4. 대출금과 할부금   5. 장해시 재활 대책
6. 가족간병 또는 간병인 비용

암, 기타질병 리스크

1. 병원비 걱정으로 치료 또는 포기
2. 수입상실 시 생활비
3. 5년생존 후 병원비 청구서
4. 입원은 몇인실? 장기입원 가능?
5. 고가의료장비등 활용 또는 포기

장수 리스크

1. 언제까지 일하고 은퇴할건가?
2. 어디서 살 건가?
3. 의료비와 치매 대책은?
4. 간병은 누가 해줄 것인가?
5. 남은 부인의 노후대책?

소득보장 리스크

1. 상속과 증여 비용은 준비 되었나?
2. 내라는 세금은 다 낼 건가?
3. 공적연금으로 노후가 충분한가?
4. 월세 받을 건물은 있는가?
5. 자녀에게 손을 벌리지 않을 수 있나?

질문 08 — 종신보험의 **장점**과 **단점**은?

종신정기CI

장점
- 급하면 **연금 선지급**
- 불릴때 **적립전환**
- 저금리 **해지환급금 보증**
- 장해시 **납입면제**
- 목돈필요 **중도인출**
- 찾아쓸 때 **비과세**
- 저금리 **투자수익**
- 노후에 **연금전환**
- 2년 후 **자유납입**
- 만약에 **사망보험금**

단점
- 화폐가치 하락
- 비싼보험료

고반물질30은 다모아미디어의 고유자산으로 무단 전제·복제 및 임의 사용시 저작권법 위반으로 5년이하의 징역 혹은 5천만원 이하의 벌금형이 부과됩니다.

질문 09: 좋은 종신보험의 조건은?

조건1 높은 확정금리 상품

조건2 추가납입 %가 높은 회사 상품

조건3 기납입보험료 이상 중도인출 가능

조건4 연금선지급 및 수령시 가입당시 이율을 적용해주는 상품

조건5 유니버설기능

조건6 일시 추가납입 가능 및 추가납입 제한문구 없는 회사 상품

질문 10: 종신보험 **가입시 주의**해야 할 점은?

 기존 가입한 보험을 먼저 진단 후 종신보험 설계 [꼭 필요한 담보 선택]

 건강하다면 우선 건강체로 설계 [건강체 할인등]

 소득공제 · 세테크 · 상속세 재원으로 활용 [이자, 세금, 소득공제등]

 자신에게 맞는 가입금액과 특약을 선택 [다양한 특약 합리적 선택 필요]

 가입후에는 중도해약을 하지 않고 유지노력 [종신토록 보장위해 유지 필수]

 연령이 높을수록 보험료가 비싸므로 즉시 가입 [고령자일수록 사망위험률 높아짐]

종신정기CI

고반물질30은 다모아미디어의 고유자산으로 무단 전제·복제 및 임의 사용시 저작권법 위반으로 5년이하의 징역 혹은 5천만원 이하의 벌금형이 부과됩니다.

목차 [질문 11~20번]

11. 종신보험은 누가 가입해야 하나요[1]?

12. 종신보험은 누가 가입해야 하나요[2]?

13. 종신보험의 트렌드가 변화하고 있다면서요?

14. 종신보험은 어떻게 진화해 왔나요?

15. 일반종신보험과 변액종신보험의 차이는 뭔가요?

16. 종신보험의 종류에 대해 설명해 주세요?

17. 유니버설종신보험에 대해 설명해 주세요?

18. 단기납종신보험에 대해 설명해 주세요?

19. 여성에 특화된 종신보험은 없나요?

20. 유병자도 가입가능한 간편종신보험에 대해 설명해 주세요?

질문 11: 종신보험은 **누가 가입**해야 하나요[1]?

 가장 [가족의 미래대비]

가정경제의 주체인 가장
[만약 부재시??? 가장의 부재시 배우자야 그렇다 치더라도 사랑스런 자녀의 생활과 미래는?]

자녀에게 상속을 원하는 분
[자녀를 위해 무엇인가를 남겨주길 원한다면 상속을 위해서도 종신보험은 반드시 필요]

상속세가 걱정이신 분
[상속세금으로 상속재산 5억이하 20%, 10억이하는 30% 등을 내게 되는데, 만일 재산이 환금성이 없는 부동산이라면 상속세를 내기 위해 부동산을 헐값에 팔아야 할 지도 모름]

 50~60대_고령층 [상속세/장례비 마련]

사망시 장례비 활용
[유족에 대한 보장보다 사망 시 장례비로 활용 / 언젠가는 사망하게 되므로 100% 활용 가능]

위험에 대한 보장
[암, 질병, 재해, 입원 뿐만 아니라 치매를 보장하는 특약 선택시 치매 보장까지 가능]

상속세 재원으로 활용 [종신보험으로 상속세에 대한 대비 가능]

질문 12 종신보험은 **누가 가입**해야 하나요[2]?

20~30대_젊은층 [리스크 헷지]

언젠가는 해야 할 가장의 역할 준비
[미혼 남성들도 언젠가는 가장이 되기 때문에 미리 종신보험에 가입하는게 유리]

하나의 상품으로 모든 위험보장 가능
[사망보장 이외에 특약을 활용하여 암, 질병, 재해, 입원 등 모든 위험에 대한 보장을 하나로 해결 가능]

하루라도 일찍 가입하여 보험료 절약
[종신보험은 연령이 많아질수록 보험료가 크게 오르는 구조로 어차피 가입할 상품이라면 건강할 때 하루빨리 가입하는게 유리]

맞벌이부부의 배우자 [유족보상]

소득이 있는 배우자라면 가장과 함께 유족에 대한 대비가 필요
[부부가 동시에 소득이 있다가 배우자가 사망하게 되면 역시 가정경제에 타격을 주게 된다
그러므로 소득이 있는 배우자라면 가장과 함께 종신보험에 가입하여 유족에 대한 보장을 준비]

하나의 상품으로 모든 위험 보장 가능
[사망보장 이외에 특약을 활용하여 암, 질병, 재해, 입원 등 모든 위험에 대한 보장을 하나로 해결]

상속세 재원으로 활용 [종신보험으로 상속세에 대한 대비 가능]

고반물질30은 다모아미디어의 고유자산으로 무단 전제·복제 및 임의 사용시 저작권법 위반으로 5년이하의 징역 혹은 5천만원 이하의 벌금형이 부과됩니다.

질문 13: 종신보험의 트렌드가 변화하고 있다면서요?

종신보험_트렌드변화

과거 [사후보장]

가장이 무탈하다면 다행이지만
- 만약, 가장이 조기사망 한다면?
- 자녀교육은? 앞으로의 생활비는?
- 당신의 가정에 대책이 있는가? 등

'종신보험'이 다 지켜줄거다!!!

현재 [생전보장]

- 가장이 살아있을 때 여러가지로 보장 (혜택)을 봤으면 좋겠다!
- 조금이라도 수익이 난다면 좋겠다!
- 노후자금으로 쓰면 좋겠다!

'살아생전' 내가 다 쓰고싶다!!!

시기별_한국은행 **기준금리 : 지속적 인상中**

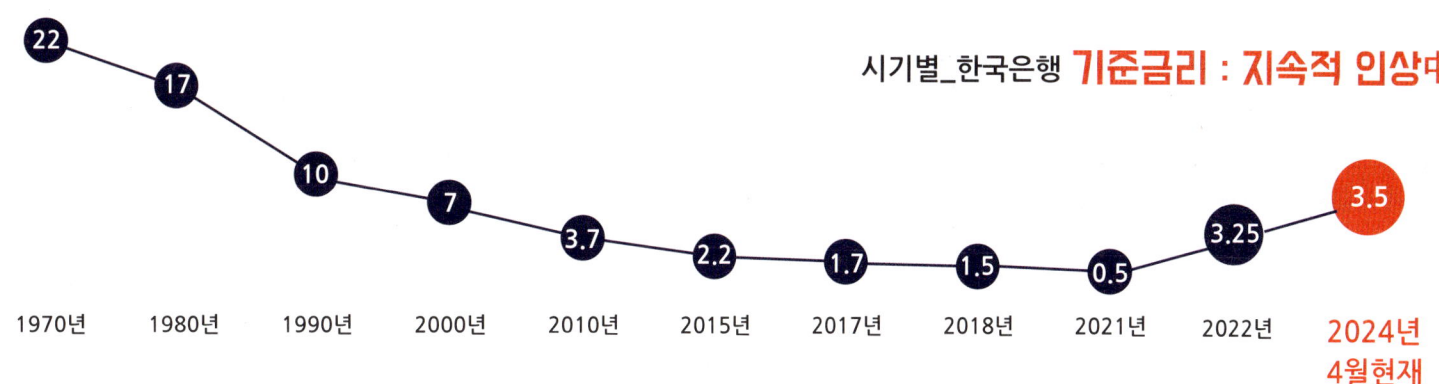

1970년	1980년	1990년	2000년	2010년	2015년	2017년	2018년	2021년	2022년	2024년 4월현재
22	17	10	7	3.7	2.2	1.7	1.5	0.5	3.25	3.5

종신보험의 트렌드가 '사후보장'에서 **'생전보장'**으로 변경되었으며, 최근에는 고금리,비과세, 사망보장, 확정이율 까지 되는 **5년납, 7년납** 이상으로 설정하고 10년시점에 **비과세혜택**과 **만기환급금**이 **120%대를 보증**하는 **단기납종신보험**이 **폭발적**으로 **판매**되고 있음

질문 14: 종신보험은 어떻게 진화해 왔나요?

종신보험_변천과정

1세대	2세대	3세대	4세대	5세대	6세대	7세대	8세대
종신보험	변액종신	유니버설종신	전환형종신	최저보증종신	저(무)해지 종신	피보험자 교체되고 보증이율이 유지되는 최저보증종신	조기환급형 (단기납)종신
- 만기가 종신인 보험 첫 출시 - 가입당시 사망보험금 그대로	- 저렴한 보험료 (높은 예정이율) - 수익률에 따라 사망보험금 증가	- 자유로운 입출금 (추가납입 & 중도인출) - 연금전환 가능	- 피보험자 교체 - 저축성보험으로 전환 가능	- 최저보증이율 - 추가납입 & 중도인출로 연금기능 강화 - 저금리 헷지 - 체증형 사망보험금	- 저(무)해지환급금 & 납기종료후 고환급률 종신 - 저(무)해지 종신 예정해지율 재산정(금감원)	- 피보험자교체 - 최저보증이율	- 단기납 종신 판매중단 권유 및 환급률 조정 (23년7월)
1998년 ~2001년	2002년 ~2004년	2005년 ~2009년	2010년 ~2012년 7월	2012년 8월 ~2018년 6월	2018년 7월 ~2020년 6월	2020년 7월 ~2021년 8월	**2021년 9월 ~현재**

고반물질30은 다모아미디어의 고유자산으로 무단 전제·복제 및 임의 사용시 저작권법 위반으로 5년이하의 징역 혹은 5천만원 이하의 벌금형이 부과됩니다.

질문 15: 일반종신보험과 변액종신보험의 차이는 뭔가요?

변액종신보험	구분	일반종신보험

▫ 기본보험금+변동보험금
  - 보험금 : 투자실적에 연동
	사망보험금	▫ 보험가입금액
		  - 보험금 : 확정 또는 공시이율 연동

▫ 실적배당률
  - 최저보증이율 없음
	적용이율	▫ 산출이율(또는 공시이율)
		  - 최저보증이율 있음

▫ 특별계정(펀드)
  - 변액보험 자산만 별도운용
  - 펀드변경 가능
	자산운용	▫ 일반계정
		  - 다른보험 자산과 통합운용

▫ 계약자 부담
  - 자기책임의 원칙
	투자책임	▫ 회사 부담
		  - 산출이율 초과시 회사 이익
		  - 손실발생시 회사 책임

▫ 전문설계사 - 변액보험판매관리사 자격	판매설계사	▫ 일반설계사
▫ '예금자보호법' 적용 제외 (단, 최저보증 보험금과 특약은 보호)	예금자보호	▫ '예금자보호법' 적용
▫ 부가되는 보장성 선택특약은 동일	기타	▫ 부가되는 보장성 선택특약은 동일

질문 16: 종신보험의 종류에 대해 설명해 주세요?

구분	특징	비고
전통적인 종신보험	사망시에 사망수익자에게 사망보험금 지급	연금전환기능 있으나 특약이 같이 사라져 실익이 적음
연금전환되는 종신보험	젊은시기 사망보장, 노후 연금전환으로 자금 활용	질병특약이 있는 경우 그대로 보장 가능
CI종신보험	중대한 질병(중대한 암, 뇌졸중, 급성심근경색 등)진단시 사망보험금의 일부(50~80%) 선지급	'중대한'이라는 문구로 미지급 사례가 많아 민원이 많음
GI종신보험	암,뇌졸중,급성심근경색 등 질병 진단시 사망보험금의 일부를 선지급	'중대한'문구가 없어 CI보험의 대체상품으로 각광
유니버설종신보험	보험료적립금(해지환급금 기준)을 중도에 인출하여 사용할 수 있는 종신보험	중도자금 활용성이 높으나, 사망보험금은 그만큼 줄어듬
저해지종신보험	중도에 해지하는 경우 기존 종신보험에 비해 낮은 50%, 30% 저해지 종신보험	납입기간 해지금은 낮지만 납입이후 환급율이 높아 각광
변액종신보험	보험료 적립금을 변액펀드에 투자하여 적립금을 높여주는 상품, 일반종신보험보다 저렴	보험료저렴,중도인출,수익률에 따라 적립금 늘릴 수 있음
달러종신보험	달러로 보험료를 내고 달러로 보장을 받으며 보험료나 보장보험금이 환율에 따라 변동	환율변동에 영향을 받는, 리스크가 있는 상품

질문 17 유니버설종신보험에 대해 **설명**해 주세요?

유니버설종신보험 = 유니버설 장점 + 종신보험 장점을 결합한 종신보험

종신정기DI

 **유니버설 특징 : 자유납입 + 중도인출기능**

STOP & GO 기능	추가납입	중도인출	간접투자
의무납입기간 이후 보험료 '납입중지'	보험료의 일정 배수 이내 추가납입 가능	해약환급금의 일정 범위내 인출 가능	금리연동형 [UL] 실적배당형 [VUL]

 **종신보험 특징**

평생보장	위험보장	폭넓은 보장	유연한 자금활용
보험가입과 동시에 평생보장	활동기 사망보장 준비로 유가족 생활보장	사망, 후유장해, 기타 제 담보	인생 목적자금 노후자금 등

질문 18

단기납종신보험에 대해 **설명**해 주세요?

정의 : 확정이율인 종신보험을 이용하여 5년납, 7년납 이상으로 설정한 플랜

비과세혜택 조건   ① 납입기간 5년이상   ② 10년이상 유지   두가지 동시조건시 이자소득세 면제

상품예시   OO라이프, OOO종신보험(무배당,해약환급금 일부지급형), 주계약 2천만원, 24년4월기준

5년납 50세남자, 주계약 2천만원, 월보험료 530,020원

- 사망보험금 **2,000만원** (체증후 최대 4,000만원)
- 5년시점 환급률 **99.9%**
- 10년시점 환급률 **122.1%**

7년납 40세남자, 주계약 2천만원, 월보험료 344,740원

- 사망보험금 **2,000만원** (체증후 최대 4,000만원)
- 7년시점 환급률 **100.0%**
- 10년시점 환급률 **122.0%**

장점
① 10년시점 해지환급률이 120%이상
② 비과세 적용
③ 확정이율
④ 한도제한이 없다
⑤ 사망보험금 지급

단점
① 사업비 차감
② 중도해지시 원금손실 발생
③ 짧은 납입기간으로 동일한 보장대비 월납입보험료가 높음

질문 19: 여성에 특화된 종신보험은 없나요?

종신정기CI

정의 : 여성은 남성보다 평균 6~7년 더 살고, 여성의 경제활동의 증가 및 맞벌이가정이 대부분으로 결혼가정 엄마의 부재는 아빠의 부재와 다르지 않기때문에 여성 종신보험도 가장의 종신과 다르지 않음

주요담보 : 여성에 특화된 담보를 보장하는 상품으로 '여성특정암' & '여성특정질병'에 대한 보장

▫ 여성특정암

	대상이 되는 질병	분류번호
유방암	1. 유방의 악성신생물	C50
여성 생식기 관련 암	1. 외음의 악성 신생물 2. 질의 악성 신생물 3. 자궁경부의 악성 신생물 4. 자궁체부의 악성 신생물 5. 상세불명 자궁 부분의 악성 신생물 6. 난소의 악성 신생물 7. 기타 및 상세불명의 여성생식기관의 악성 신생물 8. 태반의 악성 신생물	C51 C52 C53 C54 C55 C56 C57 C58

▫ 여성/암종별 발생 빈도

갑상선암	30.5%
유방암	15.4%
대장암	9.9%
위암	8.9%
폐암	6.3%
간암	3.7%
자궁경부암	3.3%
담낭 및 기타 담도	2.3%
췌장암	2.3%
난소암	2.0%
기타암	15.4%

여성들의 고민 => 여성들만의 특화된 종신보험 판매

▫ 여성특정암 : 여성들만의 특정 암에 대한 걱정
▫ 여성특정질병 : 여성들만의 특정질병 및 다빈도질병에 대한 걱정
▫ 고액의료비 및 수술비 : 고액의료비 및 수술비에 대한 걱정
▫ 치매와 간병비용 : 치매와 간병에 대한 가족들에 대한 걱정
▫ 노후생활비 : 자녀들에게 짐이 될까하는 걱정

모든 보험은 여자로 통한다?

질문 20. 유병자도 가입가능한 간편종신보험에 대해 설명해 주세요?

 **등장배경** : 의학기술의 발달이 보험시장의 유병자에 대한 제한을 풀고 종신보험 가입의 길을 열다

 **특징** : 표준형 종신보험보다 보험료저렴 / 납입완료시 훨씬 높은 환급율 / 중도해지시 환급율 0%

- 목적자금 : 10년뒤 아들의 '유학자금'으로 !!!
- 결혼자금 : 15년뒤 딸의 '결혼자금으로' !!!
- 은퇴자금 : 20년뒤 고객님의 '은퇴자금'으로 !!!
- 독립자금 : 자녀의 '독립자금'으로 !!!
- 준비자금 : 상속 또는 증여세 '준비자금'으로 !!!

" 사용할 목적이 분명하다면
무해지 간편종신보험
굉장히 유용한 상품 "

 **판매컨셉** : 종신컨셉 / 상조컨셉

보험상품	종신컨셉	상조컨셉
가입목적	가장부재, 목적, 노후자금 등	고연령타깃 상조보험 컨셉 (500~1천만원)
장점	무해지종신이라 환급율이 높음	사고발생시 가입한 보험금을 수령하고 더 이상 보험료 안냄
단점	만기전 중도해지시 환급율 0 (※무해지환급형)	고연령만을 대상으로 해야 함
상품형태	기본형 / 무해지환급형 선택 가능	
보장형태	가입금액형 / 기납입플러스형 선택 가능 ※ 기납입플러스형 : 사망시 사망보험금 + 기납입보험료 동시에 지급	
감액	간편종신상품이라서 계약일로부터 2년이내 재해이외의 지급사유 발생시 50% 지급	

목차 [질문 21~30번]

종신정기CI

21. 종신보험에서 연금전환 과연 좋은건가요?

22. 연금전환되는 종신보험 가입시 주의할 점은?

23. 정기보험이 무엇이고 종신보험과 정기보험의 차이는 어떻게 되나요?

24. 정기보험 가입시 주의해야 할 점은?

25. CI보험이 뭔가요?

26. CI보험에서 '중대한 질병'에 대해 자세히 설명해 주세요?

27. CI보험에서 '중대한 수술'에 대해 자세히 설명해 주세요?

28. 자살의 개념 vs 인정범위?

29. 사망보험금의 종류에 대해 자세히 설명해 주세요?

30. 사망보험금 어떤 경우에 지급되고 면책되는지 사례별로 자세히 설명해 주세요?

질문 21

종신보험에서 **연금전환** 과연 **좋은건가요?**

종신 & 연금보험 비교

구분	종신보험(연금전환특약)	연금보험 등 저축성보험
가입목적	- 사망보험금으로 유족보장 [단, 사망이전에 연금으로 전환가능]	- 연금수령 등 노후대비를 위한 저축
장점	- 고액의 사망보험 설계가능	- 안정적인 목돈(연금액) 설계가능
단점	- 연금 전환시 연금보험 대비 적은 연금액	- 사망등 보장기능 미흡

예시 : 해지환급금, 사망보험금, 연금액 비교

남자40세, 20년납, 보험가입금액1억, 월납 243,470원, 연금개시 60세, 종신연금형(20년보증, 정액형)

구분	경과년수	납입보험료	무배당종신보험 (표준형)		연금보험	
해지 환급율	1년	292	0	0.0%	224	76.8%
	5년	1,460	1,052	72.0%	1,399	95.8%
	10년	2,921	2,424	82.9%	3,024	103.5%
	15년	4,382	3,856	88.0%	4,880	111.3%
	20년	5,843	5,465	93.5%	6,968	119.2%
사망보험금	종신	-	1억원		기본보험료의 600%+사망시까지 계약자적립금	
분류	연금개시시점	총납입보험료	무배당 연금전환 특약(연금전환시)		연금보험	
연금연액	**20년**	**5,843**	**244**		**299**	

종신보험의 특성상 보장자산으로 이해해야 함 [※연금이 목적이면 연금보험이 종신보다 유리]

질문 22

연금전환되는 종신보험 가입시 주의할 점은?

종신정기CI

1
연금보험이 아닌
종신보험임을 주의하기

2
옵션상품이므로
꼭 필요할 때 선택하기

3
연금수령이 목적이라면
연금보험에 가입하기

4
연금처럼 받고 싶다는 이유로
신규가입 하지 않기

5
연금전환시
주계약+특약까지 소멸
되는지 확인 하기

6
회사마다 상품명의 차이가
있으니 유의하기

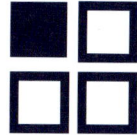

질문 23

정기보험이 무엇이고 종신보험과 정기보험의 차이는 어떻게 되나요?

정기보험이란?

- **정의**: 일정기간동안(연만기/세만기)을 보험기간으로 정하고 그 기간안에 사망시 사망보험금을 지급하는 상품
  동일한 보장금액 대비 종신보험보다 보험료가 상대적으로 저렴한 보험

- **특징**:
  1. 질병, 재해로 인한 사망사고 보장
  2. 평생납입해야 하는 종신보험의 부담 축소 : 종신보험 대비 보험료 부담 최소화
  3. 질병 진단 시 사망보험금 치료자금 선지급 가능(특약가입시)

정기보험과 종신보험이 차이

보험상품	정기보험 [순수보장형]	종신보험
보험기간	10년, 20년, 60세, 70세, 80세	평생보장(사망시점까지)
보험금 지급 사유	보험기간내 사망시 [보험금 수령못할 가능성 有]	언젠가는 사망
상품기능	순수보장	보장 + 저축
보험료	상대적으로 저렴	상대적으로 비쌈
준비금 [환급금]	증가하다가 감소, 만기시 0원	계속증가 [만기 가입금액]

질문 24: 정기보험 가입시 주의해야 할 점은?

주의 1 — **적정한 가입금액** 설정 : 본인에게 맞는 재정설계 필요

주의 2 — 타 보험과의 **중복여부** 확인 : 중복여부와 부족사항등을 가입

주의 3 — 사망보장 외에 생존시 받는 **특약도** 같이 **고려** : 유용한 특약 가입

주의 4 — 건강하면 **건강체로 가입** : 보험료의 절감 효과

주의 5 — **하루라도 빨리** 가입 : 건강할때 가입, 나이가 많을수록 보험료 비쌈

주의 6 — 정기보험은 보장이 동일하여 **다른 상품과의 비교**가 용이 : 비교필수

종신정기CI

고반물질30은 다모아미디어의 고유자산으로 무단 전제·복제 및 임의 사용시 저작권법 위반으로 5년이하의 징역 혹은 5천만원 이하의 벌금형이 부과됩니다.

질문 25 : CI보험이 뭔가요?

정의

사고나 질병 등으로 인해 치명적인 영향을 주는 **중병의 상태**가 되었을 때 **보험금을 생전에 지급**함으로써 피보험자의 간병에 따른 가족의 부담을 경감해 주는 생활보험으로 **'치명적 질병보험'**
즉, 사고나 질병등으로 인하여 피보험자가 치명적인 질병(암,뇌졸중,심근경색증,말기신부전 등) 이나 수술 또는 장해의 상태에 처했을 경우 **사망보험금의 일부** 또는 **전부(일시금)를 선지급** 함
보험금을 생전에 지급함으로써 고액의 치료비와 실직에 따른 생활비, 신체의 장해에 따른 간병비, 채무변제비, 요양비 등 살아있을 때 필요한 자금을 유용하게 활용할 수 있도록 한 생활보험상품
CI(Critical Illness)보험은 남아공의 의사인 Marius Barnard가 고안하여 최초로 판매 됨

약관상 CI질병의 정의

- 인체의 중대한 질병
- 중대한 수술
- 중대한 화상 및 부식
  (화학약품 등에 의한 피부손상)
- 일상생활장해상태
- 중증치매상태

보험료 납입면제

진단보험금 선지급

치매,일상생활장해보장

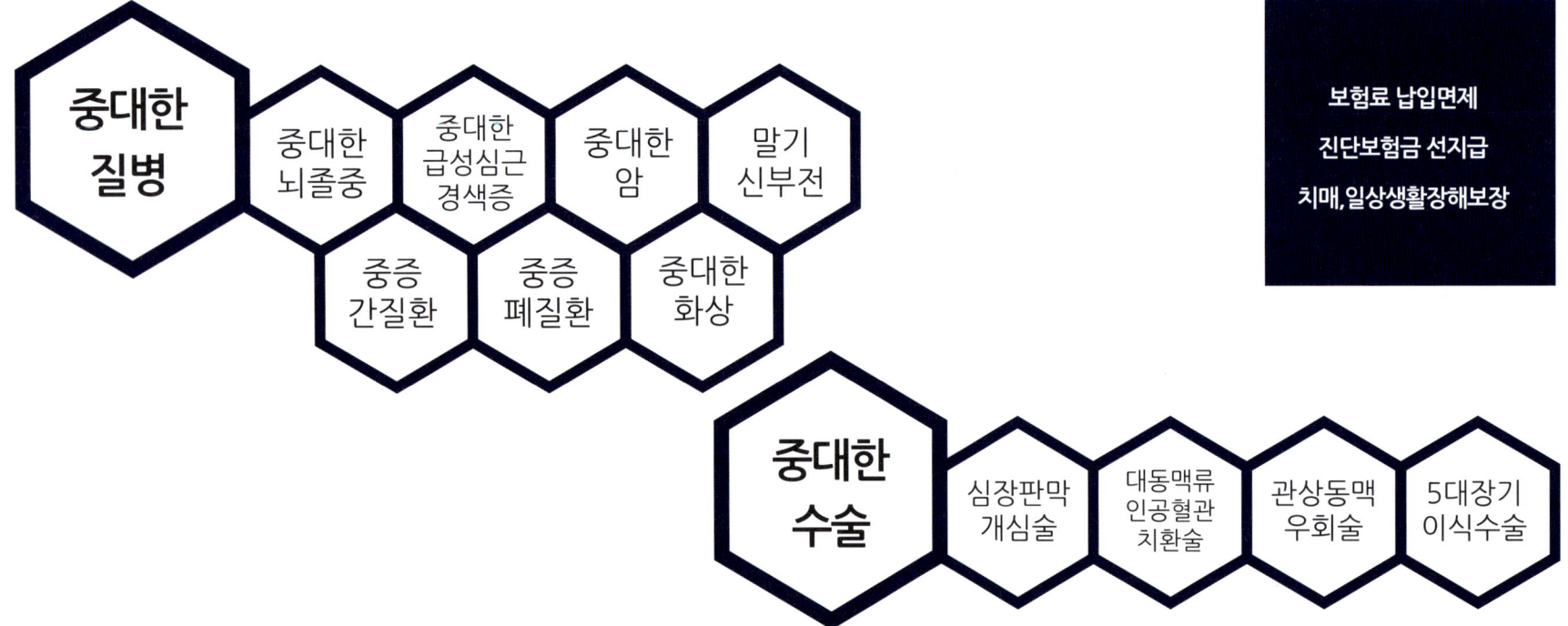

질문 26 CI보험에서 '중대한 질병'에 대해 자세히 **설명**해 주세요?

중대한 질병

종신정기CI

중대한 암

7가지 外에는 전부 중대한 암
① 악성흑색종의 경우 침범 정도가 1.5mm 넘는 경우
② 1기가 지난 전립선암은 모두 중대한 암
③ 갑상선암 제외
④ 인간면역결핍바이러스(HIV) 감염과 관련된 악성종양
⑤ 모든 피부암
⑥ 대장점막내암
⑦ 재발이나 전이암

중대한 급성심근경색증

약관상 ①과 ② 두가지 조건을 모두 충족해야 CI보험금 지급
① 전형적인 급성심근경색 심전도 변화(ST분절, T파, Q파)가 새롭게 출현
② CK-MB를 포함한 심근효소의 발병 당시 새롭게 상승
(다만, Troponin I 또는 T에 의한 Non-ST-Segment증가 급성심근경색증은 제외)

중대한 뇌졸중

CI보험은 뇌출혈이나 뇌경색증으로 진단받아도 25%이상의 신경계 장해가 남아야 보험금 지급
CI보험의 단점을 보완하기 위해 주계약과는 별도로 뇌출혈에 대해 특약으로 가입 가능

말기 신부전증

신장기능의 90%이상이 영구적으로 손실되는 경우로 신장으로 가는 혈관이 노폐물로 막혀 혈류가 갑자기 줄어들어 생기는 질병으로 더 이상 과다한 수분이나 노폐물을 소변으로 배출할 수 없는 상태
(※일시적 투석치료를 하는 신부전은 제외)

중증 간질환

만성 간질환이 진행된 결과 간기능이 망가져 회복 가능성이 없는 질환 영구적 황달이 있으면서 지속적으로 배에 복수가 차고, 간성 혼수 상태가 반복되는 질병
(※간성혼수 : 뇌기능 장애가 반복되는 상태)

중증 폐질환

양쪽 폐기능이 파괴되어 도보가 제한되고 일상생활의 기본동작의 제한을 받는 상태로 다음의 한가지에 해당하는 경우
① 폐활량 검사 중 1초간 노력성 호기량이 지속적으로 정상 예측치의 30%이하인 경우
② 영구적인 만성저산소증으로서 동맥혈 가스분석 검사장 동맥혈 산소분압이 60mmhg이하인 경우

중대한 화상

화상으로 전신 20%이상 3도 이상의 화상을 입은 경우를 말함. CI에서 보장하는 화상은 "체표면적(The rule of nine)"에 근거하여 중대한 화상을 판정

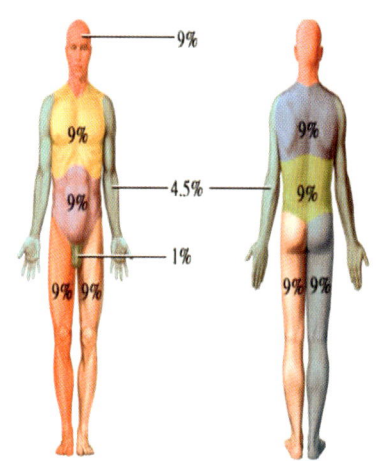

고반물질30은 다모아미디어의 고유자산으로 무단 전제·복제 및 임의 사용시 저작권법 위반으로 5년이하의 징역 혹은 5천만원 이하의 벌금형이 부과됩니다.

질문 27: CI보험에서 '중대한 수술'에 대해 자세히 설명해 주세요?

중대한 수술

심장판막개심술, 대동맥류인조혈관치환술, 관상동맥우회술, 5대장기이식수술(간, 신장, 심장, 폐, 췌장)

심장판막 개심술

심장판막질환 중 다음 두가지 중 한가지 이상에 해당
① 반드시 개흉술 및 개심술을 한 후 병변이 있는 판막을 완전히 제거한 뒤 인공심장판막 또는 생체판막으로 치환하는 '판막치환술'
② 반드시 개흉술 및 개심술을 한 후 병변이 있는 판막에 대해 성형하는 '판막성형술'

※ 면책항목
 - 카테터를 이용하여 수술
  예) 경피적 판막성형술
 - 개흉술 또는 개심술을 동반하지 않는 수술

대동맥류 인조혈관치환술

대동맥류의 근본적인 치료를 직접목적으로 하여 개흉술 또는 개복술을 한 후 반드시 **대동맥류 병소를 절제**하고 **인조혈관으로 치환**하는 두가지 수술을 해주는 것을 의미

※ 면책항목
 - 카테터를 이용하여 수술
  예) 경피적 혈관내 대동맥류 수술

관상동맥우회술

심장근육에 혈액·산소를 공급하는 관상동맥이 좁아졌을 때 다른 부위의 자기혈관을 활용, **피가 관상동맥을 거치지 않고 돌아갈 수 있도록 새로운 길을 만들어 주는 수술**로 장기간 생존율을 높이고 재발을 줄이는 수술

※ 면책항목
 - 카테터를 이용한 수술
 - 개흉술을 동반하지 않는 수술
  예) 관상동맥성형술
   스텐트삽입술
   회전죽상반절제술등

5대장기이식수술

5대장기의 만성기능부전상태로부터 근본적인 회복과 치료를 목적으로 정부에서 인정한 장기이식 의료기관에서 이식 수술을 하는것
타인의 내부장기를 적출하여 **장기부전 상태에 있는 수혜자에게 이식을 시행한 수술**

※ 5대장기 및 장기이식 질병
1. 간 : 말기 간부전 환자
2. 신장 : 말기 신부전 환자
3. 심장 : 선천성 심장기형에 의한 심부전 환자
4. 폐 : 말기 폐질환 환자
5. 췌장 : 인슐린의 분비기능이 완전히 망가진 당뇨병 환자

질문 28: 자살의 개념 vs 인정범위?

종신정기CI

논쟁1   자살의 입증책임

자살 O = '보험회사'가 입증책임
자살 X [상해 또는 재해] = '피보험자'가 입증책임

논쟁2   자살의 입장 차이 분명

- 보험회사 : 명백하게 자살이 아닌 경우는 우선 '면책' 처리
- 판례결과 : 원인불명의 자살도 '부책 (보험금을 지급)' 처리 하라고 판결

논쟁3   법원에서 자살사망보험금으로 인정한 경우

① 외상후 스트레스(망상, 망각등)   ② 사회부적응 정도의 증상
③ 만취상태에서 자살한 경우   ④ 우울증과 같은 정신질환에 의한 자살

논쟁4   자살보험금 수령_무엇을 증명해야 하나요?

① 망인의 정신적인 심리상태   ② 사건이 일어나기 전 정황   ③ 망인의 사망 전 주변상황   ④ 자살동기 및 경위, 자살방법 등

"고인이 정신질환 또는 심신상실등으로 자유로운 의사결정을 할 수 없는 상태에서 스스로를 해친 경우"에 한해 예외적인 **보상**을 허용

> **"고의"가 아닌 "사고"로 인정되어야 부책**

질문 29: 사망보험금의 종류에 대해 자세히 설명해 주세요?

사망보험금의 종류

생명보험

① 일반사망
사망의 원인을 따지지 않고 피보험자가 **사망하면 무조건** 보험금 지급됨
※ 단, 보험가입후 2년후 자살도 보상

② 재해사망
우발적사고로 인해 한국표준 질병사인분류표상의 S00~Y84 에 해당하는 사고 **+1급감염병** (코로나제외)
※ 회사내 사망 뿐만 아니라 출퇴근 또는 출장중에 업무를 수행중 사고도 보상

손해보험

③ 상해사망
급격·우연·외래의 사고로 사망

④ 질병사망
질병으로 사망

만약, 위의 사망담보 4가지를 모두 가입한 경우

질문1 만약 **교통사고**로 **뇌출혈로 사망**? 어떤 사망보험금을 받을 수 있나요?

④ 질병사망 ※ ① 일반사망 + ② 재해사망 + ③ 상해사망 : 3가지 수령

질문2 만약 **암**으로 **사망**? 어떤 사망보험금을 받을 수 있나요?

① 일반사망 + ④ 질병사망 : 2가지 수령

질문 30: 사망보험금 어떤 경우에 지급되고 면책되는지 사례별로 자세히 설명해 주세요?

재해로 사망하였다면 재해사망보험금과 일반사망보험금 모두 받아야 한다

자살도 일반사망보험금과 재해사망보험금을 모두 받을 수 있다
[피보험자가 우울증, 만취, 심신상실등으로 자유로운 의사결정을 할 수 없는 경우라고 입증하면 자살이라도 재해사망보험금과 일반사망보험금(2년 미만 계약이라도)을 받을 수 있다]

보험금의 지급사유인 사망에는
① 실종선고를 받은 경우(보통실종 5년, 특별실종 1년)
② 관공서에서 수해, 화재나 그 밖의 재난을 조사하고 사망한 것으로 통보하는 경우(인정사망)도 포함

피보험자 사망시 수익자지정을 하지 않은 경우 피보험자의 법정상속인이 사망보험금을 수령한다
[사망보험금 수익자 지정비율이 19.9%로 수익자 지정은 필요하다]

사망보험금 청구 소멸시효는 3년 이다

우울증, 과도한 음주등 자유로운 의사결정을 할 수 없는 '명정상태'에서의 사망은 고의 사고로 볼 수 없기 때문에 손해보험의 상해사망보험금을 지급받을 수 있다.

익사/실족사등 유서나 사고당시의 목격자등이 없다면 재해(상해)사망보험금 지급이 가능할 수도 있다

원인불상(사인미상)으로 사망한 경우 생명보험의 주계약인 일반사망보험금은 지급받을 수 있다

자격증유무, 장비사용유무, 강사동행여부, 사고 당시 상황등에 따라 스킨스쿠버 중 사망하였다고 하더라도 보험금을 지급 받을 수도 있다
[생명보험 : 스쿠버다이빙 중 사고에 대한 면책규정이 없다 손해보험 : 면책조항으로 규정]

고반물질30은 다모아미디어의 고유자산으로 무단 전제·복제 및 임의 사용시 저작권법 위반으로 5년이하의 징역 혹은 5천만원 이하의 벌금형이 부과됩니다.

고객이 반드시 물어보는 질문 30가지

생명보험

목표수익률 달성보험 | 물가상승률을 초과하는 유일한 해결책!
고객님의 장기자금을 위해 **투자수익률**로 **보답**하는 변액보험입니다.

변액보험

변액보험

고반물질30은 **다모아미디어**의 고유자산으로 무단 전제·복제 및 임의 사용시 저작권법 위반으로 5년이하의 징역 혹은 5천만원 이하의 벌금형이 부과됩니다.

목차

1. 변액보험이 무엇이고 왜? 가입하나요?
2. 변액보험이 탄생하게 된 계기가 어떻게 되나요?
3. 변액보험의 상품구조에 대해 설명해 주세요?
4. 변액보험의 장점에 대해 설명해 주세요?
5. 변액보험의 주요특징에 대해 설명해 주세요?
6. 변액보험의 돈의 흐름에 대해서 설명해 주세요?
7. 일반계정과 특별계정에 대해 자세히 설명해 주세요?
8. 특별계정의 종류와 자산운용에 대해 자세히 설명해 주세요?
9. 특별계정[펀드]중 유동성자산과 주식 및 주식관련 파생상품에 대해 자세히 설명해 주세요?
10. 특별계정[펀드]중 채권 및 채권관련 파생상품에 대해 자세히 설명해 주세요?
11. 자산운용옵션에 대해 자세히 설명해 주세요?
12. 펀드변경과 펀드 자동재배분에 대해 자세히 설명해 주세요?
13. 보험료 납입, 중도인출, 청약철회, 자유납입, 월대체보험료, 사망보험금에 대해 설명해 주세요?
14. 미납해지 및 부활에 대해 설명해 주세요?
15. 변액종신보험이 뭔가요?
16. 변액연금보험이 뭔가요?
17. 변액유니버설보험이 뭔가요?
18. 변액상품중 변액유니버설보험(VUL)의 4가지 장점이 있다면서요?
19. 변액보험 상품을 비교설명해 주세요?
20. 변액보험에서 투자성공을 위해서는 어떤 부분에 집중해야 하나요?
21. 변액보험 어떻게 관리해야 최고의 효과를 올릴 수 있나요?
22. 변액보험 100조시대_성공투자의 4대원칙이 있다면서요?
23. 성공투자 원칙 중 분산투자가 그렇게 중요 한가요?
24. 나이에 맞는 변액상품 상품을 추천해 주세요?
25. 변액보험은 민원이 많은 상품이라면서요?
26. 어려운 펀드투자 누구에게 맡기는게 좋을까요?
27. 원금을 보장받고자 하는 사람도 변액보험 가입이 괜찮을까요?
28. 변액보험도 예금자보호법을 적용 받는다면서요?
29. 변액보험 가입성향 진단이 뭔가요?
30. 변액보험 Q & A?

목차 [질문 1~10번]

1. 변액보험이 무엇이고 왜? 가입하나요?
2. 변액보험이 탄생하게 된 계기가 어떻게 되나요?
3. 변액보험의 상품구조에 대해 설명해 주세요?
4. 변액보험의 장점에 대해 설명해 주세요?
5. 변액보험의 주요특징에 대해 설명해 주세요?
6. 변액보험의 돈의 흐름에 대해서 상세히 설명해 주세요?
7. 일반계정과 특별계정에 대해 자세히 설명해 주세요?
8. 특별계정의 종류와 자산운용에 대해 자세히 설명해 주세요?
9. 특별계정[펀드]중 유동성자산과 주식 및 주식관련 파생상품에 대해 자세히 설명해 주세요?
10. 특별계정[펀드]중 채권 및 채권관련 파생상품에 대해 자세히 설명해 주세요?

변액보험

질문 01. 변액보험이 무엇이고, 어떻게 운용되나요?

변액보험_정의

계약자가 납입한 보험료의 일부를 주식이나 채권등 펀드에 투자하고 투자실적에 따라 발생한 이익을 계약자에게 배분하여 주는 실적배당형 보험

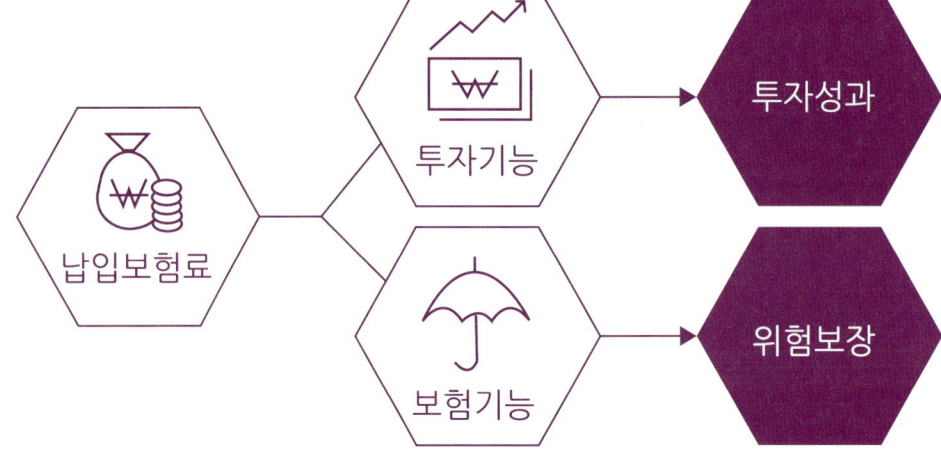

변액보험_운용

보험회사를 통해 들어온 자금을 자산운용회사에서 운용하고 이중에서 특별계정 자금은 수탁회사인 은행에 수탁, 보관, 관리 및 감시를 받고 보험회사, 은행의 파산과 상관없이 자금을 보호 받음

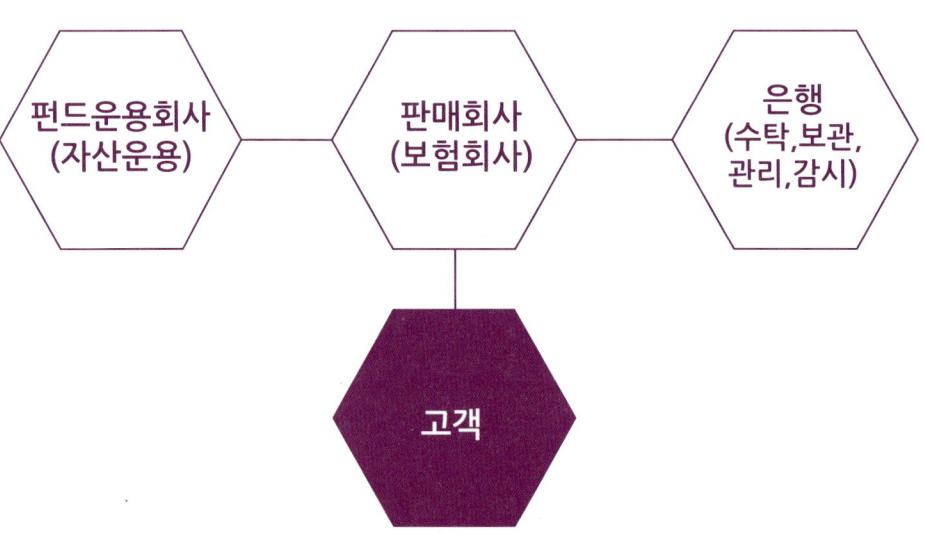

질문 02: 변액보험이 탄생하게 된 계기가 어떻게 되나요?

저금리 지속으로 수익성 제고 니즈 필요
- 저금리 시중금리를 초과하는 금융상품에 대한 Merits 및 고객의 니즈 변화

인플레이션 헷지
- 투자실적에 따라 수익률이 변동되는 실적배당형 상품으로 인플레이션 헷지

투자신탁의 보편화
- 주식시장 활황에 따라 적립식 펀드 등 투자형상품에 대한 가입 확산

소비자의 투자 성향 변화
- 저축보다는 투자 성향으로 인식 전환

보험사 측면에서는 금리 Risk 헷지 가능
- 금리확정(보증) 적용 등에 따른 금리 역마진 Risk 헷지

질문 03: 변액보험의 상품구조에 대해 설명해 주세요?

 **(1) 주계약 = 기본보험계약(기본보험금) + 변동보험계약(변동보험금)**
　　납입한 보험료가 특별계정에서 운용되어 자산운용성과에 따라 보험금은 변동

(2) 특약
　　특약은 일반보험과 마찬가지로 일반계정에서 운용, '예금자보호법'의 적용을 받음

 ## 변액보험 상품별 사망보험금

구분	저축성 변액보험 (변액연금보험+변액유니버설보험(적립형))	보장성 변액보험 (변액종신보험,변액유니버설보험(보장형))
사망보험금	기본사망보험금 + 사망 시 계약자적립금	기본보험금 + 변동보험금

 ## 변액보험 상품별 최저사망보험금보증[GMDB] 설정

구분	저축성 변액보험 (변액연금보험+변액유니버설보험(적립형))	보장성 변액보험 (변액종신보험,변액유니버설보험(보장형))
사망보험금의 최저보증금액	기납입보험료	기본보험금

질문 04 : 변액보험의 장점에 대해 설명해 주세요?

 변액보험_장점

구분	주요내용
보장 기능	사망, 연금, 질병등 보험이 가지고 있는 고유의 위험 보장
최저 보증	금융시장이 폭락해도 일정 수준 이상의 적립금 보장
절세 효과	10년이상 유지하는 등 관련 요건 충족시 보험차익 비과세
편의 기능	보험료 분산투입, 보험료 정액분할투자, 펀드 자동재배분등
펀드 변경	펀드 환매 / 매수의 번거로움 없이 펀드 변경 가능(연12회까지)
대출 기능	긴급자금 / 생애자금 필요 시 보험계약 대출 가능
인출 기능	긴급자금 / 생애자금 필요 시 중도인출 가능

변액보험

고반물질30은 다모아미디어의 고유자산으로 무단 전제·복제 및 임의 사용시 저작권법 위반으로 5년이하의 징역 혹은 5천만원 이하의 벌금형이 부과됩니다.

질문 05: 변액보험의 주요특징에 대해 설명해 주세요?

 사망보험금 및 환급금이 펀드의 운용실적에 따라 변동

 계약자적립금 및 사망보험금 최저보증 : 이미 납입한 주계약 보험료
(최저사망보험금 보증비용 / 최저연금적립금 보증비용)

 생존연금은 연금지급 개시이후의 공시이율 반영 (최저 2% 보증)

 10년 이상 유지시 보험차익 비과세

 고객의 투자성향에 따른 자산운용 형태 선택 가능

 고객의 니즈에 따라 다양한 맞춤 설계/운용 가능

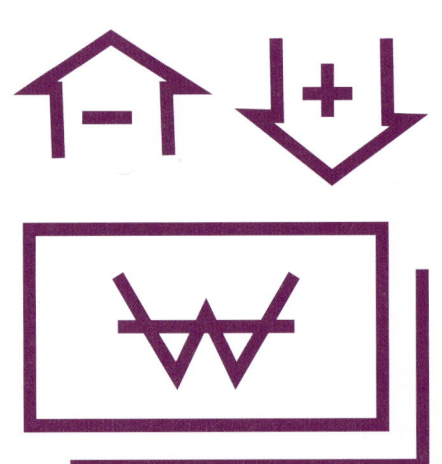

질문 06 : 변액보험의 돈의 흐름에 대해서 상세히 설명해 주세요?

1. 보험료 납입

2. 사업비 (신계약비, 유지비, 수금비) / 위험보험료 및 보증비용 → ✓ **순투입보험료**

3. 펀드 / 펀드 / 펀드 / 펀드
- 보험계약대출, 중도인출, 실효, 부활
- 펀드변경, 자동재배분, Step-up

4. 특별계정 적립금 / 보험계약대출 특별계정 적립금 / 중도인출 특별계정 적립금

5. (계약자적립금 + 중도인출) / 납입한 보험료 = 적립률 ← 고객이 오인할 수 있는 수익률

6. 고객펀드수익률 = 순수하게 펀드투자한 금액대비 펀드에서 나온 수익률 [※고객안내시 환급금만 가지고 설명하니 설명이 어려움]

(해약환급금 + 중도인출) / 납입한 보험료 = ✓ **환급률** → 실재 수익률

* 해약환급금 = 계약자적립금 - 미상각신계약비

정확한 설명 필요

변액보험

질문 07: 일반계정과 특별계정에 대해 자세히 설명해 주세요?

일반계정 vs 특별계정

- 변액보험은 실적배당형 상품으로 투자손익은 모두 계약자에게 귀속됨
- 특별계정 수익률이 일반계정의 이율보다 낮은 경우도 있음

구분	RISK 부담	최저보증이율	자산운용목적	자산평가	결산주기
일반계정	회사	있음	안정성	매월(공시이율)	매년(결산시점)
특별계정	계약자(▷자기책임원칙)	없음	수익성	매일(시가)	매일

변액보험의 특별계정 필요성

① 자산운용의 실적에 대한 **투자위험 부담자**가 상이
 : 일반계정과 특별계정 각각의 자산을 분리·운용하여
  각 계정간의 공평성을 유지해야 함

일반계정	특별계정
회사	계약자

② 자산운용의 **평가방법**이 서로 상이
 : 변액보험의 자산은 계약자 각각의 몫을 구성하고 있으므로
  개인별 적립금의 산출에 있어서는 공정해야 함

일반계정	특별계정
결산시점 평가	매일 시가 평가

③ 자산운용의 **목적**이 상이
 : 변액보험은 실적배당형 상품이므로 수익성이 중요하고
  일반보험은 안정성이 중요함

일반계정	특별계정
안정성	수익성

질문 08 특별계정의 종류와 자산운용에 대해 자세히 설명해 주세요?

특별계정(펀드) 종류

구분	운용대상	장점	단점	투자스타일
주식형펀드	- 주식 : 60%이상 - 일부 채권, 유동성 투자	- 수익성 추구 - 주식시장 활황시 고수익 가능	- 주식폭락시 원금손실	- 고위험 / 고수익
채권형펀드	- 주식 : 0% - 채권 : 60%이상	- 장기안정적 수익확보 및 원금보전 추구 - 급격한 수익률 등락 없음	- 저금리시대에는 고수익 기대 곤란	- 저위험 / 저수익
혼합형펀드	- 주식 : 60%미만 - 주로 채권 : 40%이상	- 안정성, 수익성 동시추구 - 주식편입비율에 따라 주식·채권혼합형 분류	- 주식폭락시 수익기대 곤란	- 중위험 / 중수익

(변액보험)

특별계정(펀드) 자산운용 원칙

① 특별계정과 일반계정은 각각 독립해서 운용
② 운용의 성과와 위험은 직접 계약자에게 귀속
③ 각 계정에 속한 자산을 다른 계정과 상호 매매·교환하는 것은 불가능
④ 특별계정 개설 초기에는 일반계정 보다는 높은 수준의 유동성을 확보해야 함
⑤ 계약자는 특별계정 자산의 운용방법에 대한 지시 등을 할 수 없음
⑥ 특별계정과 일반계정간의 자금이체는 가능

질문 09: 특별계정[펀드]중 유동성자산과 주식 및 주식 관련 파생상품에 대해 자세히 설명해 주세요?

구분	용어	세부내용
유동성 자산	CD	[Certificate of Deposit] 양도성예금증서. 은행의 정기예금 중에서 해당 증서의 양도를 가능케 하는 무기명 상품, 은행에서 발행 증권사와 종금사를 통해 유통 CD는 은행들이 기업에 대출해줄 때 대출금의 일부를 정기예금으로 강제시키는 '꺾기'의 수단으로도 사용
유동성 자산	CP	[Commercial Paper] 기업어음. 기업체가 자금조달을 목적으로 발행하는 어음 상거래에 수반하여 발행되고 융통되는 진성어음과는 달리 단기자금을 조달할 목적으로 신용상태가 양호한 기업만이 발행할 수있는 약속어음
유동성 자산	MMF	[Money Market Fund] 머니마켓펀드. 단기금융상품에 집중투자해 단기 실세금리의 등락이 펀드 수익률에 신속히 반영될수 있도록 한 초단기공사채형 상품 즉 고객의 돈을 모아 주로 금리가 높은 CP(기업어음), CD(양도성예금증서), 콜등 단기금융상품에 집중투자하여 여기서 얻는 수익을 되돌려주는 실적배당상품
주식 및 주식 관련 파생 상품	상장주식	한국거래소(KRX)에서 거래되고 있는 상장주식. 자금력, 상품 판매량, 유통되는 증권 수 등의 일정 요건에 부합하는 회사들의 주식으로 한국거래소에서 매매되고 있는 주식으로, 1부와 2부로 나눔. 주식이 상장되면 회사의 사회적 평가, 주식의 신뢰도, 시가로의 환금과 유통이 용이, 증자하기가 쉬워 자금조달이 유리. 또한, 담보의 비중이 높아지는 등의 이점이 있음
주식 및 주식 관련 파생 상품	수익증권(ETF)	[Exchange Traded Fund] 수익증권 인덱스펀드를 거래소에 상장시켜 투자자들이 주식처럼 편리하게 거래할 수 있도록 만든 상품 투자자들이 펀드투자의 장점과, 언제든지 시장에서 원하는 가격에 매매할 수 있는 주식투자의 장점을 모두 가지고 있는 상품으로 인덱스펀드와 주식을 합쳐놓은 것
주식 및 주식 관련 파생 상품	KOSPI 주가지수선물옵션	금융 분야에 있어서, 주가지수선물(Stock market index future)은 파생 상품 중 하나로 장래의 주가지수를 대상으로 하는 선물거래는 주가지수를 직접 인수도할 수 없기 때문에 주가지수에 상당하는 현금의 차액을 인수 하거나, 주가지수 구성 종목 즉 주식을 인수도하는 방법으로 거래를 종결함 통상 개별주식의 매매 증거금률보다 선물시장의 증거금률이 크게 낮아 투기적 성향이 강하다고 볼 수 있음
주식 및 주식 관련 파생 상품	KOSDAQ50 주가지수선물옵션	

고반물질30은 다모아미디어의 고유자산으로 무단 전제·복제 및 임의 사용시 저작권법 위반으로 5년이하의 징역 혹은 5천만원 이하의 벌금형이 부과됩니다.

질문 10: 특별계정[펀드]중 채권 및 채권관련 파생상품에 대해 자세히 설명해 주세요?

구분	용어	세부내용
채권 및 채권관련 파생상품	국채	중앙정부가 자금조달이나 정책집행을 위해 발행하는 만기가 정해진 채무증서
	통안채	한국은행이 시중 통화량 조절을 위해 금융기관을 상대로 발행하고 매매하는 채권으로 통화안정채권을 말함 시중의 통화량을 줄이기 위해 통안채 발행량을 만기량보다 많게 하고, 시중에 통화량을 늘리기 위해 통안채 발행량을 줄여 만기량보다 적게하는 통화량 조절 채권
	지방채	지방자치단체가 발행하는 채무증서
	특수채	특별법인이 발행하는 채무증서
	금융채	금융기관이 발행하는 채무증서
	회사채	주식회사가 발행하는 채무증서
	전환사채	일정한 조건에 따라 채권을 발행한 회사의 주식으로 전환할 수 있는 권리가 부여된 채권으로 사채와 주식의 중간 형태를 띤 채권
	교환사채	투자자가 보유한 채권을 일정시일 경과 후 발행회사가 보유중인 다른 회사 유가증권으로 교환할 수 있는 권리가 있는 사채
	신주인수권부채권	미리 정해진 가격으로 일정액의 신주를 인수할 수 있는 권리(warrant)가 붙은 채권. 전환사채(CB)와 다른 점은 전환사채가 전환에 의해 그 사채가 소멸되는 데 비해 신주인수권부사채는 인수권의 행사에 의해 인수권 부분만 소멸될 뿐 사채부분은 계속 효력을 갖음 따라서 인수 권리를 행사할 때에는 신주의 대금은 따로 지불해야 함
	사모사채	기업이 소수의 특정인(기관투자자자나 개인)에게 개별적으로 접촉하여 매각하는 채권 사모는 50인 미만 소수의 한정된 투자자를 대상으로 발행되는 채권 기업이 은행·단자사 등의 기관투자자나 특정 개인에게 개별적으로 접촉하여 매각하는 채권으로, 발행시간과 비용이 적어 기업 내용 공개를 회피할 수 있다는 점에서 기업들에 의해 선호
	자산유동화증권	[Asset Backed Securities] 부동산, 매출채권, 유가증권, 주택저당채권 및 기타 재산권 등과 같은 기업이나 은행이 보유한 유동화자산(Underlying Asset)을 기초로 하여 발행된 증권 자산유동화는 다양한 자금조달 수단의 제공, 조달비용의 절감, 구조조정 촉진 및 재무지표의 개선 등에 활용
	수익증권	고객이 맡긴 재산을 투자운용하여 거기서 발생하는 수익을 분배 받을 수 있는 권리(수익권)를 표시하는 증서 투신사에 운용을 맡겨 얻은 수익을 되돌려 받을 수 있는 권리를 표시한 증권
	CD금리선물	수량이나 규격·품질 등이 표준화되어 있는 상품 또는 금융자산을 계약시에 정한 가격으로, 장래의 일정 시점에 인수·인도할 것을 약속하는 거래가 이뤄지는 시장 현재의 상품을 거래하는 현물시장(現物市場)에 상대되는 개념으로, 외환시장이나 상품거래소 또는 선물거래소 등이 있음
	국채선물	한국거래소 파생상품시장에서 거래되는 3년 만기, 10년 만기의 대한민국 국고채에 대한 선물

변액보험

고반물질30은 다모아미디어의 고유자산으로 무단 전제·복제 및 임의 사용시 저작권법 위반으로 5년이하의 징역 혹은 5천만원 이하의 벌금형이 부과됩니다.

목차 [질문 11~20번]

11. 자산운용옵션에 대해 자세히 설명해 주세요?

12. 펀드변경과 펀드 자동재배분에 대해 자세히 설명해 주세요?

13. 보험료 납입, 중도인출, 청약철회, 자유납입, 월대체보험료, 사망보험금에 대해 설명해 주세요?

14. 미납해지 및 부활에 대해 설명해 주세요?

15. 변액종신보험이 뭔가요?

16. 변액연금보험이 뭔가요?

17. 변액유니버설보험이 뭔가요?

18. 변액상품중 변액유니버설보험(VUL)의 4가지 장점이 있다면서요?

19. 변액보험 상품을 비교설명해 주세요?

20. 변액보험에서 투자성공을 위해서는 어떤 부분에 집중해야 하나요?

질문 11: 자산운용옵션에 대해 자세히 설명해 주세요?

 자산운용옵션의 내용

옵션명	상세내용
펀드변경 기능	□ 적립금의 전부 또는 일부를 다른 펀드로 변경시키는 것으로서 위험이 다른 펀드로의 변경도 가능 □ 자산운용에 대한 고객의 간접선택권 제공 => 효율적인 포트폴리오 관리 및 계약 해지 방지(유지율제고) □ 펀드변경 횟수 : 최고한도 연12회 □ 펀드변경 방법 : 회사 홈페이지, 콜센터, 고객플라자, 모바일청구(앱)등을 통해 펀드변경 신청 가능 □ 펀드변경 수수료 : 적립금의 0.1%범위 이내(서비스차원에서 무료)
펀드별 편입비율 설정 기능	□ 특별계정의 펀드변경 중 일부변경을 가능하게 하기 위한 기능 □ 청약서상에 납입보험료의 펀드별 배분비율을 선택 □ 납입보험료를 펀드별로 분산하여 투자
펀드 자동재배분 기능	□ 펀드 적립액 비율을 고객이 설정한 비율로 일정기간(3개월, 6개월, 1년등)마다 자동재분배하는 기능 □ 고객이 자신의 투자성향에 맞게 정한 최초의 포트폴리오를 지속적으로 이어간다는 의미 □ 각 기간별로 수익을 실현 할 수 있다는 장점이 있음
보험료 정액분할 투자 기능	□ 일시납 또는 추가납입보험료를 매월 계약해당일에 납입될 금액으로 분할하여 특별계정에 투자되는 기능 □ 일시납 보험료를 안전한 단기채권형 펀드등에 먼저 투입한 후 12로 나누어 매월 계약해당일에 미리 설정된 펀드별 편입비율로 자동투입 □ 월납계약에는 이 기능이 필요 없음

변액보험

질문 12

펀드변경과 펀드 자동재배분에 대해 자세히 설명해 주세요?

펀드변경

구분	운영방법
펀드배분	▫ 5% 단위로 배분하며, 배분비율 합계는 100%
변경횟수 및 방법	▫ 연간 12회 이내 ▫ 전화, 인터넷, 방문 신청 가능
변경수수료	▫ 이전하는 계약자 적립금의 0.1%이내 (5,000원 한도)에서 수수료 청구 가능(실제로 미부과가 일반적)
변경금액	▫ 적립액 전액 또는 일부금액 이동 가능(예 : A펀드에서 다른 펀드로 적립액 이동시) ① A펀드 적립액 전부를 B펀드로 이동 -> 전액 B펀드에서 운용 ② A펀드 적립액 중 30%를 B펀드, 30%를 C펀드로 이동 -> A펀드 40%, B펀드 30%, C펀드 30% 운용

펀드 자동재배분기능의 예시

	최초 분산투입비율		변경된 분산투입비율		자동재배분 적용	
A펀드	20%	200만원	250만원	23.8%	200만원	20%
B펀드	20%	200만원	150만원	14.3%	210만원	20%
C펀드	30%	300만원	350만원	33.3%	315만원	30%
D펀드	30%	300만원	300만원	28.6%	315만원	30%
계	100%	1,000만원	1,050만원	100%	1,050만원	

투자실적 반영

질문 13
보험료 납입, 중도인출, 청약철회, 자유납입, 월대체보험료, 사망보험금에 대해 설명해 주세요?

 **보험료 추가납입 제도** (보험료의 약2% 내외 계약관리비용 발생)
보험기간중에 기본보험료의 2배이내에서 기본보험료보다 사업비가 적게 부과되는 보험료를 추가로 납입
할 수 있는 제도 [환급률 극대화 및 비과세 등을 목적으로 활용]

 **중도인출 vs 청약철회**
- 중도인출 : 변액연금, 변액유니버설보험은 보험기간 중 해지환급금의 범위 내에서 계약자 적립금의 일부를 인출
  ※ 단, 소정의 수수료 부과 및 보험계약대출과 달리 상환부담이 없음
- 청약철회 : 보험증권을 받은 날로부터 15일이내

 **보험료 자유납입 기능**
변액유니버설 보험은 보험료 납입을 자유롭게 할 수 있는 상품
일정 의무납입기간이 지난 후에는 보험기간 중 계약자가 원하는 때에 보험료 납입이 가능하고,
계약이 해지 되지 않는 한도 내에서 원하는 기간만큼 보험료를 납입 하지 않을 수 있음

 **월대체보험료**
의무납입기간 이후 변액니버설보험의 월대체보험료는 고객이 월보험료를 납입하지 못했을 경우,
보험계약의 유지를 위해 계약자의 적립금에서 자동적으로 대체되는 보험료
구성은 주계약 기본보험료의 계약체결 및 계약관리비용(기타비용)과 보험료, 특약보험료(기타비용)의 합계

 **사망보험금** : 보험회사에 따라 사망보험금 기준을 사망일 기준과 청구일 기준으로 다를 수 있음

[예시] 사망일(2019년10월4일) : 기본보험금 1억원, 변동보험금 5천만원 = 1억5천만원
　　　 보험금청구일(2019년12월15일) : 기본보험금 1억원, 변동보험금 2천만원 = 1억2천만원

변액보험

고반물질30은 다모아미디어의 고유자산으로 무단 전제·복제 및 임의 사용시 저작권법 위반으로 5년이하의 징역 혹은 5천만원 이하의 벌금형이 부과됩니다.

질문 14
미납해지 및 부활에 대해 설명해 주세요?

보험료 미납 시 '납입최고'
보험료 연체중인 경우 회사는 14일 이상의 기간을 납입최고(독촉)기간으로 둠
변액유니버설보험의 경우 해지환급금에서 월대체보험료의 대체가 부족할 경우 '납입최고' 함

보험료의 미납 시 '해지처리' : (특별계정 ▷ 일반계정)

(1) 보험료 미납 해지
　　해지된 '계약자적립금'은 특별계정에서 일반계정으로 이체되고 해지된 후 부활(효력회복)해도 해지된 기간동안
　　특별계정의 운용실적 확보는 불가능

(2) 해지환급금 = [해지신청일+제2영업일] = [특별계정적립금-해지공제금액]

> 해지환급금 = 특별계정적립금-해지공제금액 (미상각신계약비, 미상환 보험계약대출원리금 잔액등)

　① 피보험자의 나이, 보험기간, 납입경과기간, 특별계정 운용실적에 따라 달라짐　② 해지환급금 : 최저보증 없음

보험계약 부활(효력회복) : (일반계정 ▷ 특별계정)

(1) 부활절차
　　① 청약 : 해지된날로부터 3년이내　② 심사 : 신계약과 동일(역선택 방지)　③ 승낙 : 적립금 및 보험금액은 해지시점 금액을 기준

(2) 부활시 연체보험료
　　① 연체보험료에 [평균공시이율+1%]범위내 보험회사 이율로 계산한 금액을 더해 납입 [VUL경우 미납된 월대체보험료를 공제]
　　② 부활시 특별계정 투입 이체시기
　　　ⓐ 부활(효력회복) 승낙 후 연체보험료(연체이자 포함) 납입완료된 경우 : [연체보험료 납입완료일+제2영업일]
　　　ⓑ 연체보험료가 납입 완료 후 부활(효력회복) 승낙이 이뤄진 경우 : [부활(효력회복) 승낙일+제2영업일]

질문 15 : 변액종신보험이 뭔가요?

 변액종신보험의 보장구조

사망보험금 = 기본보험금+변동보험금

※ 사망보험금 : 매월변동
※ 기본보험금 : 기본보험금을 사망보험금으로 최저보증
※ 변동보험금 : 일시납보험 추가가입방법으로 계산

 변액종신보험의 특징

1. 사망보험금과 해지환급금은 변동 [사망보험금 : 매월, 해지환급금 : 매일]
- 변동보험금 : 매월 계약해당일에 새로 가입되며, 누적되지 않음
- 해지환급금 : 투자실적에 따라 매일변동(최저보증 없음) => 해지환급금은 보험계약자가 수령함

2. 사망보험금에 대해 최저보증기능이 있음 [기본(사망)보험금]
- 투자수익률이 산출이율을 초과한 경우에는 (+)변동보험금 발생, 산출이율보다 낮으면 (-)변동보험금 발생
- (-)변동보험금이 발생해도 실제 사망보험금은 기본보험금을 최저보증

3. 고객의 투자성향에 따라 자산운용 형태를 직접 선택할 수 있음
- 펀드를 직접 선택할 수 있지만, 펀드운용에 대한 지시는 할 수 없음
- 보험기간 중 펀드변경(연12회한도)등의 간접선택권을 활용할 수 있음

4. 기타
- 납입면제기능 : 장해지급률 50%이상시 납입면제기능 있음
- 장해지급률 80%이상이더라도 사망보험금이 소멸되지 않고, 사망시에 사망보험금이 지급됨
- 보험료의 납입 : 단기납 (월납, 일시납), 전기납 모두 가능(단기납이 일반적임)
- 선택특약 자유조립, 보험 세제혜택등

변액보험

질문 16: **변액연금보험**이 뭔가요?

변액연금보험의 **보장구조**

- 사망보험금 = 기본사망보험금 + 사망시점까지 적립된 계약자 적립금 : 투자실적에 따라 매일 변동함
  ※ 최근에는 상해사망보험금을 기본계약으로 판매되며, 기납입보험료등을 사망보험금으로 최저보증함
- 연금 = 연금지급시점까지 적립된 계약자적립금(기납입보험료등을 연금개시시 최저보증함)을 기준으로 연금 지급
  ※ 최저연금적립금 보증을 선택하지 않은 경우에는 실제 계약자적립금을 기준으로 계산하여 연금을 지급함

변액연금보험의 **적립금 운용 및 연금지급**

(1) 변액연금보험의 적립금 운용
: 연금개시 이후의 적립금 : 선택에 따라 공시이율적용 연금형(일반계정) or 변액연금형(실적배당형,특별계정)으로 운용
① 연금개시 전에는 특별계정에서 운용하고 연금개시 후에는 계약자가 선택 가능
② 정액연금 수령을 원할경우 : 공시이율적용 연금형을 선택   ③ 대부분 공시이율적용 연금형을 선택하고 있음

(2) 연금지급 방법
① 종신연금형 : 종신 수령   ② 확정연금형 : 일정기간 확정수령
③ 상속연금형 : 계약자적립금을 유지하면서 공시이율로 증가되는 금액만 수령

변액연금보험의 **특징**

(1) 사망보험금과 해지환급금은 변동
[사망보험금 : 매일, 해지환급금 : 매일]

(2) 최저보증옵션
① GMDB(최저사망보험금보증) : 기납입보험료등
② GMAB(최저연금적립금보증) : 기납입보험료등
  (연금개시까지 보험계약을 유지한 경우에 적용)

(3) 고객의 투자성향에 따라 자산운용 형태를 직접 선택 가능
① 펀드를 직접 선택은 가능 하나, 펀드운용방법에 대한 지시는 할 수 없음
② 보험기간 중 펀드변경(연12회한도) 가능

(4) 기타
① 납입면제 기능 : 일반적으로 납입면제 기능이 없음
② 선택특약 자유조립, 보험 세제혜택등

질문 17: 변액유니버설보험이 뭔가요?

 변액유니버설보험의 보장구조

- [적립형] 사망보험금 = 기본사망보험금 + 사망시점까지 적립된 계약자 적립금 : 투자실적에 따라 매일 변동함
- [보장형-Ⅰ] 사망보험금(매월변동)
  = 기본보험금(기본보험금을 사망보험금으로 최저보증) + 변동보험금(일시납보험 추가가입방법으로 계산)
- [보장형-Ⅱ] 사망보험금(매일변동) = Max[기본보험금, 계약자적립금의 일정비율(105~110%수준), 기납입보험료]

 변액유니버설보험의 종합금융기능

(1) 변액기능 : 실적배당의 간접투자상품
(2) 유니버설기능 : 입출금이 자유로운 상품
(3) 보험기능 : 위험보장상품

 변액유니버설보험의 특징

(1) 중도인출 가능
　① 해지환급금 범위 내 중도인출 가능　② 보험계약대출과 달리 상환부담 없음　③ 중도인출은 대출도 감액도 아님

(2) 보험료 납입기간의 자율성 [▷의무납입기간, 자유전기납]
　① 의무납입기간이후 보험료 일시 중단 및 추가납입등 자유　② 보험기간 : 종신, 보험료납입기간 : 전기납

(3) 월대체보험료
　① 해지환급금 범위 내 에서 위험보험료, 특약보험료, 계약유지 및 관리비용등을 매월 차감하여 사용
　② 월대체보험료가 부족할 경우 납입최고 절차를 진행함

질문 18 변액상품중 **변액유니버설보험(VUL)의 4가지 장점**이 있다면서요?

 변액유니버설보험_4가지특성

기능성	목적성	투자성	유연성
다기능 위험보장, 목적자금, 은퇴준비의 다기능 상품 하나로 세가지를 한꺼번에 준비 가능 **One-stop 자산관리서비스** 추가입출금 가능성에 따른 유연한 투자설계 가능 잘 수립된 미래재정 계획에 따른 지속적 자산관리 가능 **비과세효과** 10년이상 지속적 투자시 완전비과세 (※추가 비과세조건 충족시)	**인생에서 가장 중요한 3가지 plan** ① 보장플랜 ② 교육자금플랜 ③ 은퇴자금플랜 **목적자금 설계 plan** 잘 설계된 단,중,장기 plan 으로 목적에 부합한 설계 가능 **저금리 & Inflation 극복** 저금리 상황 및 인플레이션 위험에 대응가능	**꾸준한 장기투자 효과** 빠르고 꾸준한 장기투자의 효과를 얻을 수 있음 **반드시 준비해야 할 돈** 어떤 환경변화에도 VUL은 안전하게 미래에 필요한 필수적인 지출에 대비하는 역할을 함 **위험을 줄이기 위한 투자방법** 평균매입단가 하락효과와 장기투자의 효과를 통해 더 높은 수익과 동시에 위험을 줄일 수 있음	자유로운 추가 입출금 재정상황 변화에 따른 증액 및 감액의 자유 보험료 휴지제도로 불입하기 어려운 상황이 발생하여도 보험유지 연금전환 가능 

고반물질30은 다모아미디어의 고유자산으로 무단 전제·복제 및 임의 사용시 저작권법 위반으로 5년이하의 징역 혹은 5천만원 이하의 벌금형이 부과됩니다.

질문 19: 변액보험 상품을 비교설명해 주세요?

구분	변액종신	변액연금	변액유니버설(적립형)	변액유니버설(보장형)
사망보험금	기본보험금+변동보험금	기본사망보험금+계약자적립금	기본사망보험금+계약자적립금	기본보험금+변동보험금
변동보험금	일시납보험 추가 가입방법	가산지급방법	가산지급방법	일시납보험 추가 가입방법
사망보험금변동주기	매월	매일	매일	매월
최저사망보험금	기본보험금	기납입보험료	기납입보험료	기본보험금
해지환급금변동주기	매일(최저보증 없음)	매일(최저보증 없음)	매일(최저보증 없음)	매일(최저보증 없음)
보험기간	종신	종신(확정형 선택 가능)	만기	종신
보험료납입	월납, 일시납	월납, 일시납	의무납입기간은 의무납, 이후는 자유납	의무납입기간은 의무납, 이후는 자유납
납입형태	전기납, 단기납 선택	단기납	전기납	전기납
선납(기본보험료2배)	보험료 납입기간중 가능	연금지급개시 전 보험기간 중 가능	의무 납입기간 중 가능	의무납입기간 중 가능
선납보험료 할인	평균공시이율로 할인	할인 없음	할인없음	평균공시이율로 할인
보험료납입면제 (50%↑장해)	O	X	X	O
선택특약 부가	O	O (연금전환특약 제외)	O	O
자산운용 형태 선택	O	O	O	O
펀드변경기능	O	O	O	O
보험계약대출	O	O	O	O
중도인출	X	X	O	O

변액보험

고반물질30은 다모아미디어의 고유자산으로 무단 전제·복제 및 임의 사용시 저작권법 위반으로 5년이하의 징역 혹은 5천만원 이하의 벌금형이 부과됩니다.

질문 20 변액보험에서 **투자성공**을 위해서는 **어떤 부분**에 **집중**해야 하나요?

 ### 가입~7년까지 : 보험의 유지 = 목돈마련

변액보험의 위력을 발휘하기 위해 해지나 납입중단없이 꾸준히 유지

 ### 가입후 7~10년까지 : 분산투자 & 좌수확보

① 3~4개의 다른 영역펀드로 분산 운용
② 주가하락시 더 많은 좌수매입 : 주가변동에 일희일비하지 않고 꾸준히 좌수매입
③ 대부분 변액보험은 펀드자동재배분으로 안정적으로 운영되는 시스템

 ### 가입후 필요시 마다 : 추가납입 & 중도인출 적극 활용

주가변동상황을 적극 활용
    -> 주가상승시 인출 : 적은 좌수로 충당할 수 있도록 인출
    -> 주가하락시 추가납입 : 더 많은 좌수를 확보할 수 있도록 추가납입

 ### 가입후 10~20년 : 적립금의 안정적인 운용

① 적립금의 채권형 70%와 주식형 30% 등의 안정적이고 장기적인 펀드 운용 필요
② 10년이후라도 펀드관리에 대한 지속적이고 안정적인 노력이 필요

목차 [질문 21~30번]

21. 변액보험 어떻게 관리해야 최고의 효과를 올릴 수 있나요?

22. 변액보험 100조시대_성공투자의 4대원칙이 있다면서요?

23. 성공투자 원칙 중 분산투자가 그렇게 중요 한가요?

24. 나이에 맞는 변액상품 상품을 추천해 주세요?

25. 변액보험은 민원이 많은 상품이라면서요?

26. 어려운 펀드투자 누구에게 맡기는게 좋을까요?

27. 원금을 보장받고자 하는 사람도 변액보험 가입이 괜찮을까요?

28. 변액보험도 예금자보호법을 적용 받는다면서요?

29. 변액보험 가입성향 진단이 뭔가요?

30. 변액보험 Q & A?

변액보험

고반물질30은 다모아미디어의 고유자산으로 무단 전제·복제 및 임의 사용시 저작권법 위반으로 5년이하의 징역 혹은 5천만원 이하의 벌금형이 부과됩니다.

질문 21 변액보험 **어떻게 관리**해야 **최고의 효과**를 올릴 수 있나요?

수익률 상승 : '펀드변경 기능'
시장상황에 따라 혹은 펀드 설정후 일정기간이 경과시 실적이 저조하다면 펀드변경을 활용

노후자금 필요 : '연금전환 특약 기능'
퇴직 후 당장 쓸 노후생활비가 더 필요하다면 변액종신상품의 '연금전환 특약기능'을 활용
연금전환 특약은 본인이 사망시 받게 될 보험금을 연금재원으로 돌려 정기적으로 연금을 받는 것
금리연동형과 실적배당형이 있는데 '실적배당형'이 장기적인 인플레이션에 대응할 수 있음

목돈 필요 : '중도인출 기능'
변액유니버설보험의 경우 해지환급금의 범위 내에서 적립금 일부를 중도인출 가능

긴급자금 필요 : '보험계약대출 기능'
긴급자금 필요시 중도인출보다 '보험계약대출 기능'을 활용하는 것이 좋음
은행대출과 달리 별도의 담보나 조건없이 해지환급금 범위내에서 대출이 가능하며 펀드수익률이 좋을 때는 중도인출보다 유리 [단, 약관대출은 이자를 납입해야 함]

보험료 부담 : '보험료 감액 또는 일시정지 기능'
- 보험료감액 : 처음 가입한 계약의 보장금액을 줄이면서 향후 납입할 보험료를 낮추는 것
- 일시정지 : 가입할 때 정한 기본보험료의 의무납입기간이 지나면 언제든 신청 가능
  ※ 일시정지 상태가 너무 길어지면 계약자 적립금이 줄어들어 계약이 소멸 될 수도 있음

질문 22 변액보험 100조시대_**성공투자**의 **4대원칙**이 있다면서요?

 변액보험 103조원 달성 [2017년 11월기준]

제 1 원칙   **간접투자**
- 우량정보에 대한 접근 / 분석우위
- 전문적 · 체계적 위험관리

제 2 원칙   **분산투자**
- 우량주 위주 투자로 안정적 수익 추구
- 합리적 주식 편입비율로 포트폴리오 최적화

제 3 원칙   **장기투자**
- 단기투자의 변동성 위험 축소
- 장기투자를 통한 안정적 수익 추구

제 4 원칙   **정기투자**
- Cost Average 효과
- 평균 매입단가 인하 효과

질문 23

성공투자 원칙중 **분산투자**가 그렇게 중요 한가요?

합리적투자 = 분산투자 = '계란을 한 바구니에 담지말라'

```
                    분산투자
        ┌──────────┬──────────┬──────────┐
      자산별      용도별     기간별     위험도별
```

자산별 분산투자

주 식	부동산
채 권	현 금

용도별 분산투자

투 자	은 퇴
유 동	보 장

기간별 분산투자

超長期	長 期
中 期	短 期

위험도별 분산투자

高위험	中위험
低위험	無위험

> 다양한 종목에 투자하는 방법 또한 투자리스크를 줄일 수 있음

질문 24 : 나이에 맞는 변액상품을 추천해 주세요?

어린이
어린이변액보험

- 성장하면서 발생하는 교육비, 결혼비용 준비에 적합
- 태아때부터 성인이 될 때까지 건강보장 가능

20대 사회초년생
변액적립보험
(변액유니버설 적립형)

- 결혼 및 내집마련을 위한 목돈 준비에 효과적
- 장기 투자로 저금리·저성장을 이겨내는 수익추구형 상품

30대가장
변액종신보험

- 경제 활동기에 가족을 위한 유족 보장을 준비
- 은퇴 후에는 연금 전환기능을 통한 생활비 보장 가능

40대이상 중년층
변액연금보험

- 다양한 연금 형태를 통한 맞춤형 은퇴설계
- 연금 개시 시 투자수익률 낮아도 최소 납입 원금 보증

변액보험

질문 25: 변액보험은 민원이 많은 상품이라면서요?

 **변액상품**은 잘 **관리**해야 민원이 없습니다.

변액상품 정확히 설명

투자상품에 대한 자기확신

확신을 통한 소개 확보

7~10년은 꾸준한 좌수확보

1년단위로 변액 애뉴얼리포트 발송

고객자산은 곧 내 자산이란 책임감으로 관리

질문 26
어려운 **펀드투자 누구에게 맡기는게** 좋을까요?

투자_전문가에게 맡기세요!

구분	직접투자	간접투자
수고와 노력	많이 들어간다	적게 들어간다
위험	전문가가 아닐 경우 매우 큼	전문가가 위험을 최소화
이익의 배분	내가 전부 가져감	투자한 비율만큼 나눠 가짐
예시	주식, 부동산, 채권	주식펀드, 부동산 펀드등
중요사항	정보수집과 분석 한계	정보력과 분석능력 막강

그밖의 간접투자의 장점
- 공동투자-> 대규모 투자로 거래비용 감소, 거래규모가 큰 투자 가능
- 분산투자-> 대규모 자금을 조성하여 다양한 종목투자 가능

변액 보험

질문 27

원금을 보장받고자 하는 사람도 변액보험 가입이 괜찮을까요?

> **아닙니다.**
> 원금을 보장받고자 하는 사람에게는 **부적합한** 상품입니다.

구분	변액보험	일반보험(저축성)	예금	수익증권(펀드)
원금보장 (만기시)	X	O	O	X
중도해지시 손실 가능	있음 (해지시 일정액 공제)	있음 (해지시 일정액 공제)	약정이자보다 적은 이자 수령	있음 (단기 해지시 공제)
투자기간	종신	대부분 장기	대부분 단기	대부분 단기

원금보장을 원한다면 변액보험보다
일반 저축성보험이나 예·적금에 가입하는게 바람직

고반물질30은 다모아미디어의 고유자산으로 무단 전제·복제 및 임의 사용시 저작권법 위반으로 5년이하의 징역 혹은 5천만원 이하의 벌금형이 부과됩니다.

질문 28 : 변액보험도 **예금자보호법**을 적용 받는다면서요?

결론 : 모든 변액보험이 예금자보호가 되는 것이 아닙니다.

◇ **실시** : 2016년 6월 23일부터
◇ **개정이유** : 100조원이 넘는 변액보험시장과 6명중 1명이 가입하고 있는 **변액보험**에 대해 **국가에서 안전장치로 개정**
◇ **개정내용** : 보험료 자체를 지급 보장하는 게 아니라 펀드운영성과와 관계없이 지급을 약속한 **최저보장보험금**을 지급 하지 못할 경우(부도 등) 예금보호공사가 **인당 5천만원까지 보장**해주는 것
◇ **대상**
   ① 2016년 6월 23일 이전 계약 + 이후 계약 모두 [※ 법 시행전 계약모두 소급 적용]
   ② GMDB, GMAB, GMWB 등 최저보증 금액 (최저사망보험금, 최저연금적립금, 실적배당 종신연금 최저보증연금액)
      ※미보증상품은 대상이 아님
◇ **한도** : 해당 보험사 모든 계약을 합하여 인당 5,000만원 한도
◇ **지급사유**
   ① 변액 연금 : 부실보험사의 파산 & 연금개시 & 적립금이 최저 적립금보다 적을 경우
   ② 변액 종신 : 부실보험사의 파산 & 최저 사망보험금 보증기간 내 & 특별계정 적립금= 0원 & 예정해지적립금>0원인 경우
      ※ 해지환급금, 투자원금은 예금자 보호대상이 아님

원금과 수익을 전액 보증하는게 아니라, 보험사의 파산/부도로 자본금이 모두 증발시 국가 보증

변액연금/변액종신보험 : 예금자보호 O
변액유니버셜보험 : 예금자보호 X

변액보험

질문 29: 변액보험 **가입성향 진단**이 뭔가요?

 변액보험 가입성향 진단

구분	고객 성향	위험자산 편입비율	투자적합 상품군
위험회피형	원금손실을 원하지 않음	0%	변액보험 가입불가
안정추구형	원금손실을 최소화하고, 이자수익등 안정적 수익 추구	50%이하	-
위험중립형	원금손실 위험을 충분히 인식하고, 예·적금보다 높은 수익률을 위해 일정수준의 손실 감내 가능	60%이하	변액연금(보증형) 변액종신
적극투자형	원금손실 위험을 감내하고, 높은 수익률을 원하며, 상당부분 위험자산에 투자할 의향이 있음	80%이하	변액적립 변액연금(보증형,미보증형) 변액종신
위험선호형	아주 높은 수익률을 원하고, 대부분을 위험 자산에 투자할 의향 있음	80%초과	변액적립 변액연금(보증형,미보증형) 변액종신

※ 변액보험은 펀드 성격에 따라 원금손실 가능성과 투자성향 적합여부가 달라지므로 계약자의 투자성향 및 가입목적에 따라 보험상품 및 펀드를 선택할 수 있도록 변액보험을 가입 하기 전에는 「보험업법」 및 「자본시장법」에 따라 변액보험 가입성향(적합성)진단을 운영함

질문 30

변액보험 Q & A?

Q : 변액보험은 높은 사업비 때문에 가입하면 손해아닌가요?
A : 주로 설계사판매비로 초기 사업비가 나가는 구조, 최근에는 사업비를 대폭줄인 변액상품이 많고, 10년이상 유지가 필요한 상품

Q : 전문가가 다알아서 해주니까 나는 신경쓰지 않아도 되나요?
A : 아닙니다. 변액보험은 철저한 관리와 관심이 필요한 상품으로 보험가입 후에도 경제상황에 따라 펀드변경 등 본인의 지속적인 관리가 필요

Q : 변액보험 수익률은 양호한데 해지하면 손해인가요?
A : 펀드수익률은 플러스인데 해지환급금은 원금이 안될 수 있음
- 펀드수익률 : 납입한 보험료중 펀드로 투입된 돈과 적립액을 비교해서 산출한 이자의 개념
- 해지환급률 : 실재 가입자가 낸 보험료 모두와 해지시 환급금의 비율로 사업비가 공제되기 때문에 일정기간까지는 원금에 못 미칠 수 있음

Q : 내가 가입한 변액보험에 대해 조회 해보고 싶은데 어떻게 하면 되나요?
A : 변액보험의 사업비, 펀드수익률 현황 등은 생명보험 홈페이지(www.liia.or.kr)내 '공시실'이나 가입하신 보험사에 문의하시면 됨

Q : 단기간만 가입해도 원금이 보장되고 물가상승률을 초과 할 수 있는 상품이라 하는데 사실인가요?
A : 변액상품은 단기목적자금으로 부적합, 장기 주식·채권투자를 통한 위험분산, 10년이후 비과세 효과 등 장기투자 상품으로 경쟁력 있음

Q : 사업비와 위험보험료가 차감된다는 사실을 몰랐는데 이게 환급률에 큰 영향을 준다면서요?
A : 변액상품 역시 보험상품이기 때문에 불의의 사고에 대비한 보험금, 종신까지의 연금지급등 계약의 모집과 장기관리로 많은 비용이 소모됨
해당내용은 가입 당시 계약자에게 보험내용을 설명하는 '상품설명서' 등을 통해 안내

Q : 기대수익률을 오인하여 가입했는데요?
A : 변액상품은 계약자가 기대한 수익률과 실제 해지시 수익률은 차이가 있기 때문에 이를 고려하시고 가입해야 함
이유는 계약자의 기대수익률 중 사업비와 위험보험료등을 차감하고 실제 '해지수익률'이 나오기 때문

Q : 변액종신보험을 저축성보험인 연금보험으로 오인하여 가입했는데요?
A : 연금전환특약이 부가된 종신보험은 저축성보험이 아니라 보장성보험이고 보장성보험은 높은 위험보험료과 사업비가 차감되어 연금보험 보다 환급률이 떨어지는 건 당연함. 따라서, 노후대비를 위한 목적이라면 저축성보험인 연금보험으로 가입하는 것이 유리함

변액보험

고반물질30은 다모아미디어의 고유자산으로 무단 전제·복제 및 임의 사용시 저작권법 위반으로 5년이하의 징역 혹은 5천만원 이하의 벌금형이 부과됩니다.

고객이 반드시 물어보는 질문 30가지

생명보험 | 노후 및 목돈마련 | 고객님의 안정적인 노후 및 목돈을 완벽하게 준비해 드립니다.

연금·저축

연금저축

고반물질30은 **다모아미디어**의 고유자산으로 무단 전제·복제 및 임의 사용시 저작권법 위반으로 5년이하의 징역 혹은 5천만원 이하의 벌금형이 부과됩니다.

목차

1. 단리와 복리에 대해 설명해 주세요?
2. 복리효과의 가장 큰 걸림돌 : 물가상승률???
3. 이율의 종류에 대해 설명해 주세요?
4. 연금 또는 저축보험 가입시 체크해야 할 사항은 없나요?
5. 우리나라 연금제도 체계에 대해 설명해 주세요?
6. 내가 가입하고 있는 공적연금으로 노후가 충분히 보장될까요?
7. 경제적으로 고민없는 노후를 준비하려면 어떤 준비를 해야 할까요?
8. 세제적격연금저축에 대해 자세히 설명해 주세요?
9. 세제적격연금저축보험을 가입해야하는 이유는?
10. 2024년1월부터 연금계좌 세제혜택이 확대된다면서요?
11. 연금저축보험/연금저축신탁/연금저축펀드는 어떤 차이가 있나요?
12. 연금상품을 알기 쉽게 비교 설명해 주세요?
13. 세제적격연금 가입으로 인한 '절세효과'는 얼마나 되나요?
14. '세제적격연금'과 '비적격연금'과는 어떤 차이가 있나요?
15. 세제적격연금에 부과되는 '과세'에 대해 자세히 설명해 주세요?
16. 보험가입시 받게 되는 절세에 대해 자세히 설명해 주세요?
17. 보험차익 비과세과 어떻게 변해왔는지 설명해 주세요?
18. 저축성보험의 '비과세 요건'에 대해 자세히 설명해 주세요?
19. 비과세요건이 납입보험료 또는 수령방법에 따라 과세 여부가 달라진다면서요?
20. 비과세여부를 사례로 알기쉽게 설명해 주세요?
21. 연금수령시 과세체계에 대해 설명해 주세요?
22. '퇴직연금'에 대해 자세히 설명해 주세요?
23. '국민연금'에 대해 설명해 주세요?
24. '공무원연금'에 대해 설명해 주세요?
25. '사립학교교직원연금(=사학연금)'에 대해 설명해 주세요?
26. '군인연금'에 대해 설명해 주세요?
27. 4대 공적연금에 대해 비교설명해 주세요?
28. 주택연금제도에 대해 자세히 설명해 주세요?
29. 주택연금이용 현황에 대해 자세히 설명해 주세요?
30. 경험생명표 또 언제? 변경되나요?

목차 [질문 1~10번]

1. 단리와 복리에 대해 설명해 주세요?
2. 복리효과의 가장 큰 걸림돌 : 물가상승률???
3. 이율의 종류에 대해 설명해 주세요?
4. 연금 또는 저축보험 가입시 체크해야 할 사항은 없나요?
5. 우리나라 연금제도 체계에 대해 설명해 주세요?
6. 내가 가입하고 있는 공적연금으로 노후가 충분히 보장될까요?
7. 경제적으로 고민없는 노후를 준비하려면 어떤 준비를 해야 할까요?
8. 세제적격연금저축에 대해 자세히 설명해 주세요?
9. 세제적격연금저축보험을 가입해야하는 이유는?
10. 2024년1월부터 연금계좌 세제혜택이 확대된다면서요?

연금저축

질문 01: 단리와 복리에 대해 설명해 주세요?

 ## 복리 마법의 3요소 : 기간 + 금액 + 수익률 [=금리]

1. 워렌버핏이 선물하는 복리?

1965년 버크셔 해서웨이가 설립될 때 **1천만원을 투자한 돈**, 깜박하고 잊어버린후 **43년뒤** 2008년에 확인한 결과, **401억 1,046만 4,720원**

2. 단리와 복리

단리

1년 경과 이자
100만원(원금)×연이율 10%×1년 = **10만원**

2년 경과 이자
100만원(원금)×연이율 10%×1년 = **10만원**

3년 경과 이자
100만원(원금)×연이율 10%×1년 = **10만원**

복리 [이자에 또 이자가 붙는 방식]

1년 경과 이자
100만원(원금)×연이율 10%×1년 = **10만원**

2년 경과 이자
(100만원+10만원)×연이율 10%×1년 = **11만원**

3년 경과 이자
(100만원+21만원)×연이율 10%×1년 = **12만1천원**

고반물질30은 다모아미디어의 고유자산으로 무단 전제·복제 및 임의 사용시 저작권법 위반으로 5년이하의 징역 혹은 5천만원 이하의 벌금형이 부과됩니다.

질문 02 복리효과의 가장 큰 걸림돌 : **물가상승률???**

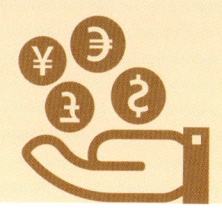

 **아빠** 나이 33세, 연소득 5천만원, 58세까지 근로소득, 연소득 매년 5%씩 인상 가정

 **엄마** 나이 29세, 연소득 3천만원, 50세까지 직장생활 희망

 **자녀** 나이 14개월된 아들, 2년이내 1명 더 낳을 계획

- 현재생활비 : 매월 150만원, 은퇴 후 : 200만원 수준의 삶을 희망
- 노후생활비 : 60대(200만원), 70대(160만원), 80대(120만원)로 40만원씩 감소

이 상기 예시 가정의
아빠 91세, 배우자 87세까지 산다면 지출 총액은?

물가반영 전 : 약15억8천만원 정도가 필요
[※ 은퇴후 비용, 교육비, 결혼비용, 물가상승률 0%로 가정]

연금저축

물가반영 후

필요예상금액 : 약52억원

[※ 물가 5% / 결혼비 6% / 결혼비용·은퇴 후 생활비 상승률 각각 4%]

저축만 복리가 아니라 **평생지출**도 **복리**가 그대로 적용된다.
이 가정의 물가상승률 기간은 **58년**, 충분히 긴 시간이다.
58년의 ① **긴시간** ② **금액** ③ **수익률**로 충분한 준비가 필요

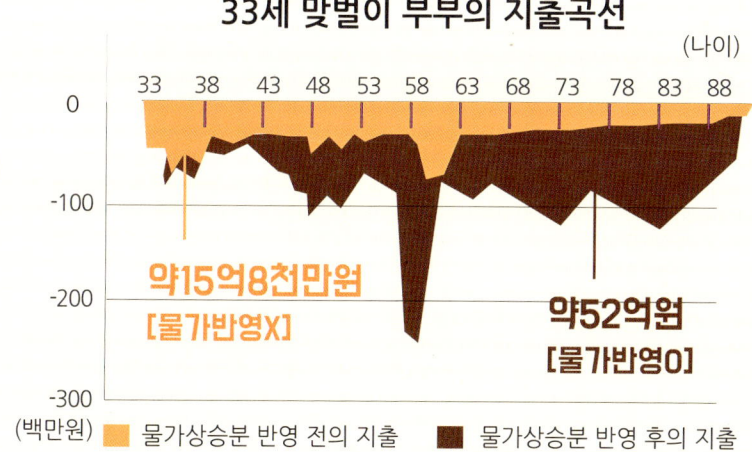

33세 맞벌이 부부의 지출곡선

약15억8천만원 [물가반영X]
약52억원 [물가반영O]

물가상승분 반영 전의 지출 / 물가상승분 반영 후의 지출

질문 03: 이율의 종류에 대해 설명해 주세요?

 예정이율

보험료를 산정할 때 기준이 되는 이율

암보험, 상해보험 등의 **보장성 보험이나 특약**과 같이 금리 확정형 상품에 주로 적용되는 예정이율은 **고정금리로 적용**
한번 정해진 예정이율은 바뀌지 않습니다.

예정이율↑ → 보험료↓, 예정이율↓ → 보험료↑

 공시이율

종신보험, 연금보험, 저축성 상품에 적용되는 이율로 **시중금리에 따라 변동되는 이율**

보험개발원에서 공표하는 공시기준이율에 회사별 조정률을 감안해 매월, 3개월, 6개월 단위로 고객의 보험금에 적용

은행의 정기예금이율, 보험계약대출이율, 국고채, 회사채 등의 **수익률**과 **보험회사의 운용자산이익률**
을 고려해 산출하며 **금리 인상기**에는 **공시이율도 함께 오르는 경향**이 있습니다.

공시이율↑ → 환급금,중도환급금↑ [고객이익]

최저보증이율

운용 실적에 관계없이 일정 수준 이상의 보험금을 지급하기로 **보증**한 최저한도의 **이율**

공시이율 급락 → 고객의 막대한 손실 방지 [환급금,중도환급금]

질문 04: 연금 또는 저축보험 가입시 체크해야 할 사항은 없나요?

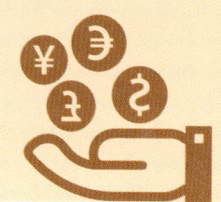

선택 1
- 공시이율 높은 상품이 만기환급금, 해지환급금이 높음

'공시이율' 높은 상품

선택 2
- 공시이율 : 은행의 예적금 상품의 이율과 비슷한 개념

'공시이율' 비슷하면 '적립률" 높은 상품

선택 3
- 보험사가 무슨일이 있어도 보장하는 최저보장이율
- 공시이율이 최저보증이율로 내려가면 역마진이 날 수 도 있음

'최저보증이율' : 높은 상품

선택 4
- 수수료 없이 추가납입 가능 여부
- 중도인출 가능 여부

'추가납입' 과 '중도인출' : 가능 상품

선택 5
- 목적이 있어야 유지가 가능

특정 이벤트에 맞춰 적당한 금액으로 가입

선택 6
- 예금자보호를 위해 각 금융기관마다 5천만원씩 분산 가입

보험사마다 5천만원씩 나누어 가입

연금저축

질문 05: 우리나라 연금제도 체계에 대해 설명해 주세요?

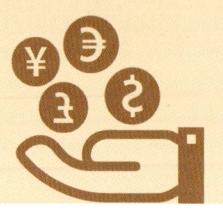

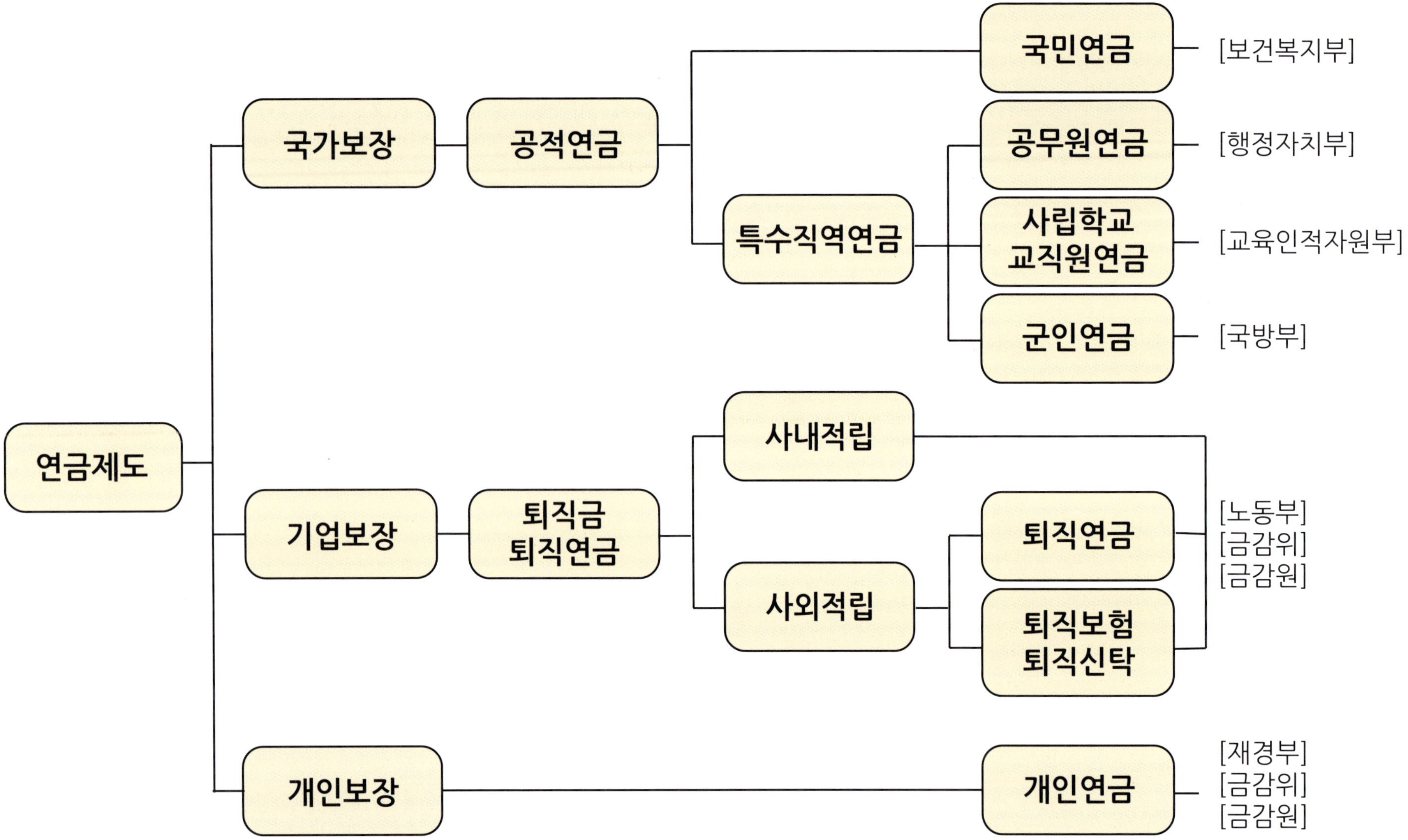

- 연금제도
  - 국가보장 → 공적연금
    - 국민연금 — [보건복지부]
    - 특수직역연금
      - 공무원연금 — [행정자치부]
      - 사립학교 교직원연금 — [교육인적자원부]
      - 군인연금 — [국방부]
  - 기업보장 → 퇴직금 퇴직연금
    - 사내적립
    - 사외적립
      - 퇴직연금
      - 퇴직보험 퇴직신탁
    — [노동부] [금감위] [금감원]
  - 개인보장 → 개인연금 — [재경부] [금감위] [금감원]

고반물질30은 다모아미디어의 고유자산으로 무단 전제·복제 및 임의 사용시 저작권법 위반으로 5년이하의 징역 혹은 5천만원 이하의 벌금형이 부과됩니다.

질문 06

내가 가입하고 있는 공적연금으로 노후가 충분히 보장될까요?

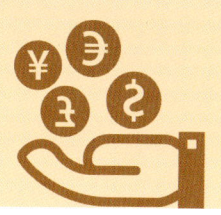

정부가 생각하는 공적연금의 노후소득 보장수준?

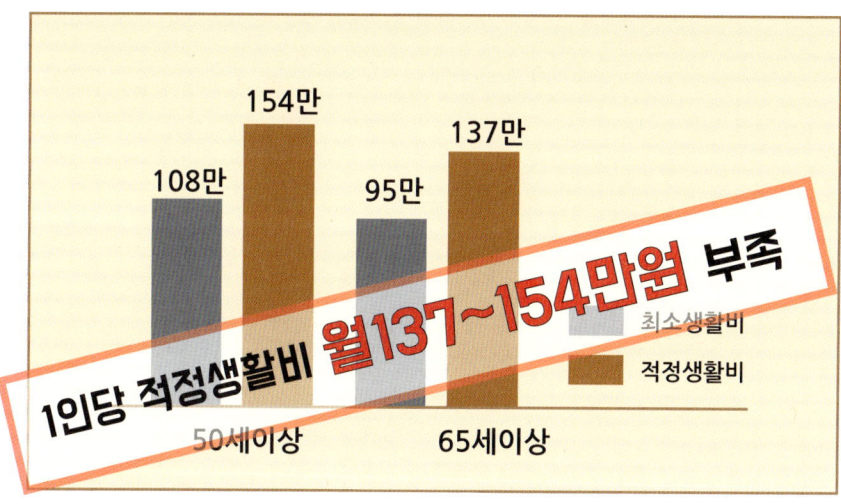

1인당 적정생활비 월137~154만원 부족

은퇴 후 개인 필요 생활비? 137~154만원

은퇴후 부족한 생활비 월56~73만원 부족

공적연금이 변화가 필요한 이유?

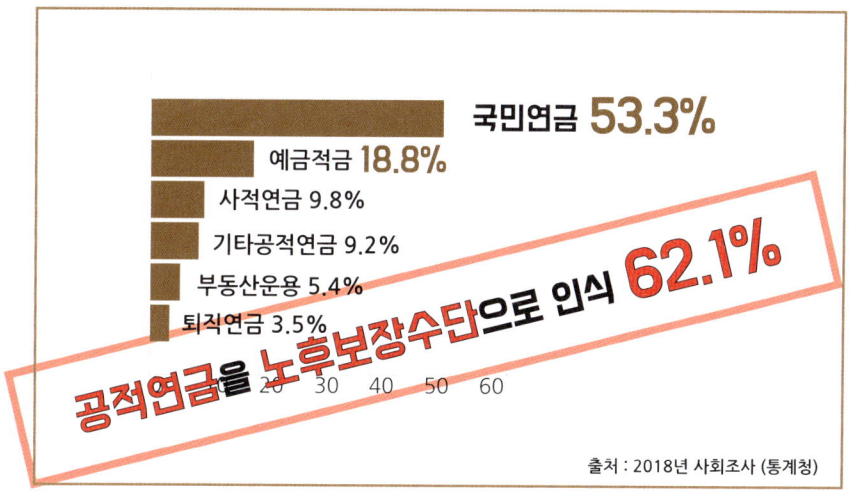

공적연금을 노후보장수단으로 인식 62.1%

출처 : 2018년 사회조사 (통계청)

OECD대비, 노후빈곤율과 노인소득

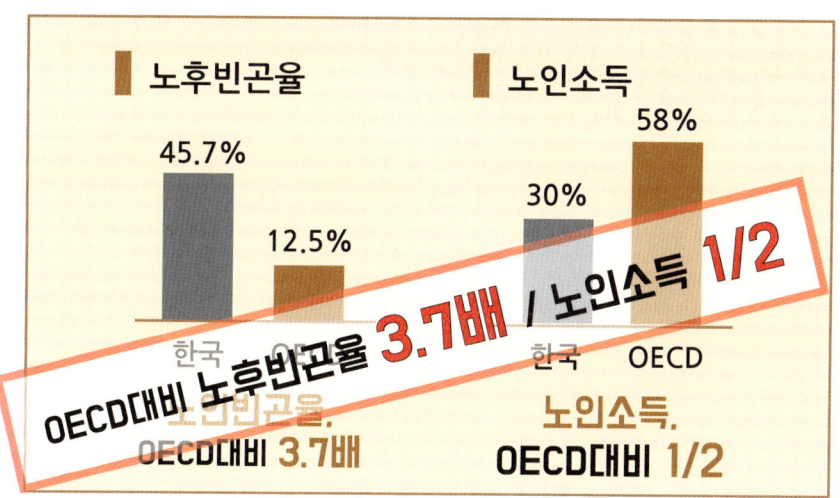

OECD대비 노후빈곤율 3.7배 / 노인소득 1/2

연금저축

질문 07 경제적 고민없이 노후를 준비하려면 어떤 준비를 해야 할까요?

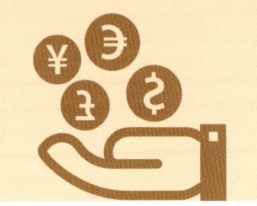

3층연금

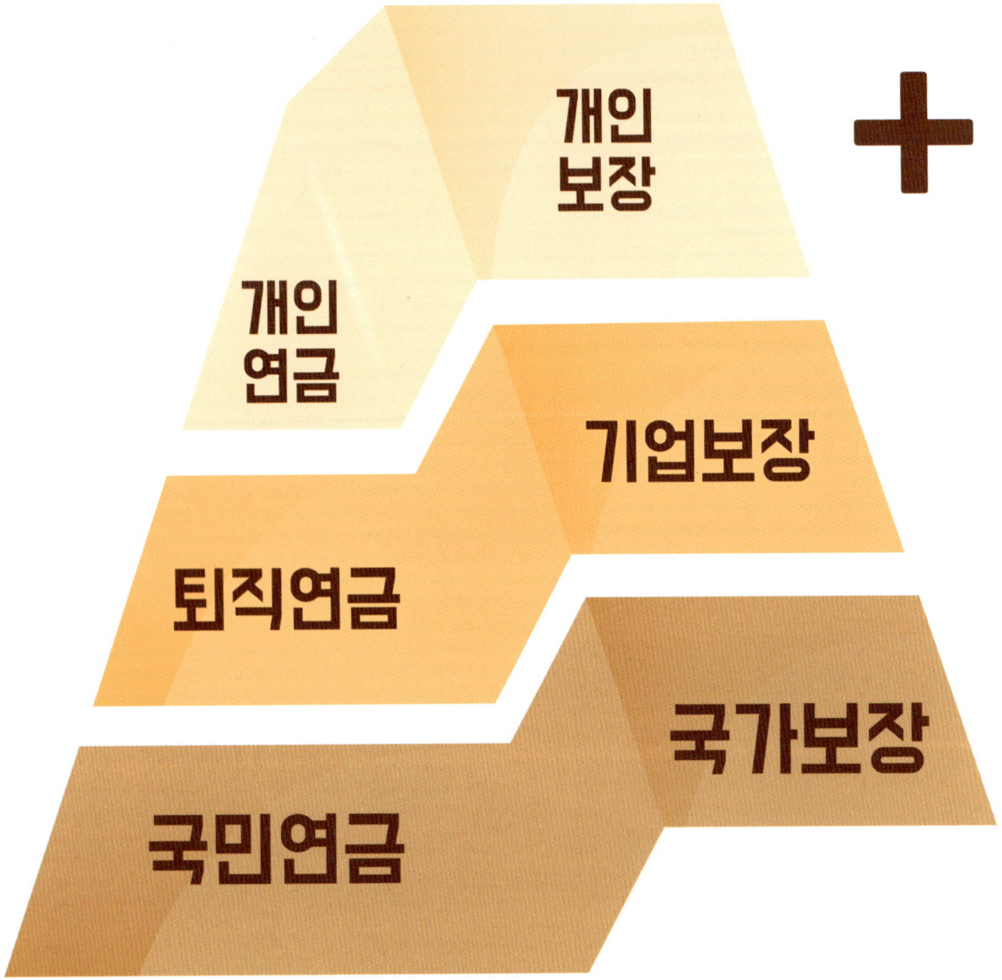

- 개인연금 → 개인보장
- 퇴직연금 → 기업보장
- 국민연금 → 국가보장

+

개인 : 추가준비

+ 연금저축
+ 수익형 임대부동산
+ 주택연금
+ 즉시연금(=일시납연금)
+ 월지급식 ELS (펀드)
+ 배당주 (펀드)

 **질문 08**

세제적격 연금저축에 대해 자세히 설명해 주세요?

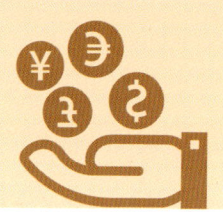

 ### 세제적격 연금저축 = 세액공제 최대 600만원

구분	가입 연령	납입 기간	수령 기간	납입 한도	연금 소득세	특별중도 해지시	해지 가산세	중도 인출	가입자 사망시
신연금저축	제한없음	최소 5년	최소 10년	연1,800만원 [분기한도 폐지]	55~70세 : 5.5% 71~80세 : 4.4% 81세이상 : 3.3%	16.5%	없음	언제든 가능	배우자 승계가능

 ### 세액공제 : 연금저축+퇴직연금 = 최대 900만원

연금저축	퇴직연금	최대 세액공제
근로자와 자영업자	근로자	① 연금저축+퇴직연금 = 900만원 ② 퇴직연금(IRP) = 900만원 ① 또는 ②번을 선택
600만원 ➕	**300만원** 🟰	**900만원**

- **퇴직연금 추가납입제도** : 퇴직연금에 가입한 근로자는 본인의 DC(확정기여형 퇴직연금)계좌나 IRP(개인형퇴직연금)에 추가로 납입이 가능함
- **DB형** : 금융기관 방문해 IRP계좌를 개설후 여기에 적립하면 됨
- **DC형** : DC계좌에 추가납입 또는 IRP계좌 개설후 IRP계좌에 적립하면 됨

연금저축

질문 09

세제적격연금저축보험을 가입해야 하는 이유는?

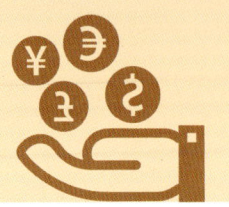

수익성

이자의 이자로 자산을 불려주는 복리상품
10년이상 유지시 비과세상품

안정성

최저보증이율을 적용
노후자금으로 활용

배당금 발생 가능

합리적으로 운영된 투자이익을 금융감독원장이 인가하는 방식으로 증액연금 및 가산연금으로 추가지급!

세액공제

연간 납입보험료 **600만원** 한도 내에서 세액공제 가능
※ **퇴직연금 합산**시 최대 **900만원**까지 세액공제 가능

질문 10: 2024년1월부터 연금계좌 세제혜택이 확대된다면서요?

개인연금 연간 1,200만원 -> 1,500만원까지 저율 분리과세 적용

[변경전] 연금저축+퇴직연금 (2023년)

총급여액 (종합소득금액)	세액공제 대상 납입한도 (연금저축 납입한도)	세액 공제율
5,500만원 이하 (4,500만원)	900만원 (600만원)	16.5%
5,500만원 초과 (4,500만원)		13.2%
납입한도	연금저축 + 퇴직연금 : 연간 1,800만원	
연금수령시 과세방법	▫ 연금소득세 (3.3~5.5%) 　- 55세~69세 : 5.5%, 70~79세 : 4.4%, 80세이상 : 3.3% ▫ 분리과세(1,200만원 이하는 3.3~5.5%, 1,200만원 초과시 16.5%) 또는 종합과세 중 선택이 가능	

[변경후] 연금저축+퇴직연금 (2024년부터~)

총급여액 (종합소득금액)	세액공제 대상 납입한도 (연금저축 납입한도)	세액 공제율
5,500만원 이하 (4,500만원)	900만원 (600만원)	16.5%
5,500만원 초과 (4,500만원)		13.2%
납입한도	연금저축 + 퇴직연금 : 연간 1,800만원	
연금수령시 과세방법	▫ 연금소득세 (3.3~5.5%) 　- 55세~69세 : 5.5%, 70~79세 : 4.4%, 80세이상 : 3.3% ▫ **분리과세**(1,500만원 이하는 3.3~5.5%, 1,500만원 초과시 16.5%) 또는 **종합과세** 중 선택이 가능(24년부터 1200만->1500만으로 상향)	

개정이유 및 판매포인트

2024년부터 연금저축과 퇴직연금등 개인연금 연간 연금수령액 최대 **1,500만원까지 저율 분리과세** 적용!!

목차 [질문 11~20번]

11. 연금저축보험/연금저축신탁/연금저축펀드는 어떤 차이가 있나요?

12. 연금상품을 알기 쉽게 비교 설명해 주세요?

13. 세제적격연금 가입으로 인한 '절세효과'는 얼마나 되나요?

14. '세제적격연금'과 '비적격연금'과는 어떤 차이가 있나요?

15. 세제적격연금에 부과되는 '과세'에 대해 자세히 설명해 주세요?

16. 보험가입시 받게 되는 절세에 대해 자세히 설명해 주세요?

17. 보험차익 비과세과 어떻게 변해왔는지 설명해 주세요?

18. 저축성보험의 '비과세 요건'에 대해 자세히 설명해 주세요?

19. 비과세요건이 납입보험료 또는 수령방법에 따라 과세여부가 달라진다면서요?

20. 비과세여부를 사례로 알기쉽게 설명해 주세요?

질문 11: 연금저축보험/연금저축신탁/연금저축펀드는 어떤 차이가 있나요?

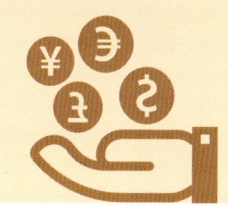

구분	연금저축신탁 (은행)	연금저축펀드 (자산운용사)	연금저축보험 (생명보험)	연금저축보험 (손해보험)
납입방식	자유납	자유납	정기납	정기납
적용금리	실적배당	실적배당	공시이율	공시이율
연금수령기간	확정기간	확정기간	종신, 확정기간	확정기간 (최대 25년)
원금보장	보장	미보장	보장	보장
예금자보호	적용	미적용	적용	적용
상품유형	▶ 채권형 ▶ 안정형 ※주식 10%미만	▶ 채권형 ※채권 60%이상 ▶ 혼합형 ※채권,주식 ▶ 주식형 ※주식 60%이상	▶ 금리연동형 ※ 적립금액에 적용하는 이율이 매월 변동	▶ 금리연동형 ※ 적립금액에 적용하는 이율이 매월 변동

※ 연금저축신탁(은행)은 판매중지되어 신규가입은 되지 않음

질문 12 연금상품을 알기 쉽게 비교 설명해 주세요?

 연금보험 비교

구분	변액연금보험	연금저축보험	공시이율연금보험	변액유니버설보험
운용사	자산운용사	보험사	보험사	자산운용사
수익	투자수익	공시이율	공시이율	투자수익
소득공제	X	O	X	X
원금보장	만기유지시	만기유지시	만기유지시	X
투자수익 보증옵션	120%~300% (스탭업상품/구간달성시)	최저금리 적용보증	최저금리 적용보증	X
예금자보호	X	O	O	X

질문 13

세제적격연금 가입으로 인한 절세효과는 얼마나 되나요?

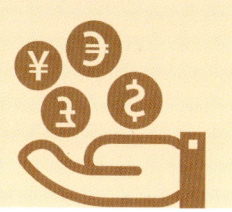

절세효과 비교 [2023년 전후]

☐ 2022.12.31일까지

총급여 5천5백만원이하 근로자 또는 종소세 4천만원이하
최대 세액공제
66만원
※ 지방소득세 포함
연간납입보험료
최대 400만원
16.5%

총급여 5천5백만원이상 근로자 또는 종소세 4천만원이상
최대 세액공제
52.8만원
※ 지방소득세 포함
연간납입보험료
최대 400만원
13.2%

총급여 1억2천만원초과 또는 종소세 1억원초과
최대 세액공제
39.6만원
※ 지방소득세 포함
연간납입보험료
최대 300만원
13.2%

☐ 2023.1.1일부터~

총급여 5천5백만원이하 근로자 또는 종소세 4,500만이하
최대 세액공제
99만원
※ 지방소득세 포함
연간납입보험료
최대 600만원
16.5%

총급여 5천5백만원이상 근로자 또는 종소세 4,500만이상
최대 세액공제
79.2만원
※ 지방소득세 포함
연간납입보험료
최대 600만원
13.2%

연금저축

절세효과 확대 [2023년부터~]

세액공제 납입한도 확대 및 종합소득금액 합리화로 절세효과 확대

고반물질30은 다모아미디어의 고유자산으로 무단 전제·복제 및 임의 사용시 저작권법 위반으로 5년이하의 징역 혹은 5천만원 이하의 벌금형이 부과됩니다.

질문 14: '세제적격연금'과 '비적격연금'과는 어떤 차이가 있나요?

세제**비적격**연금

연금보험
· 연금개시 : 만45세이후 가능

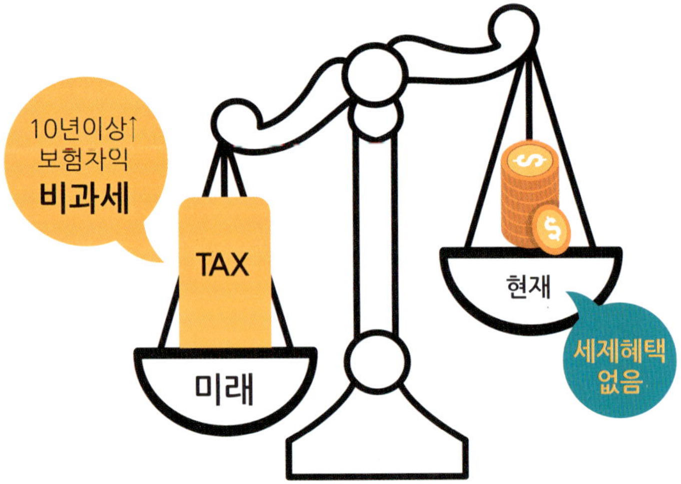

- 10년이상↑ 보험차익 **비과세**
- TAX 미래
- 현재 — 세제혜택 없음

세제**적격**연금

연금저축계좌
· 연금개시 : 만55세이후 가능

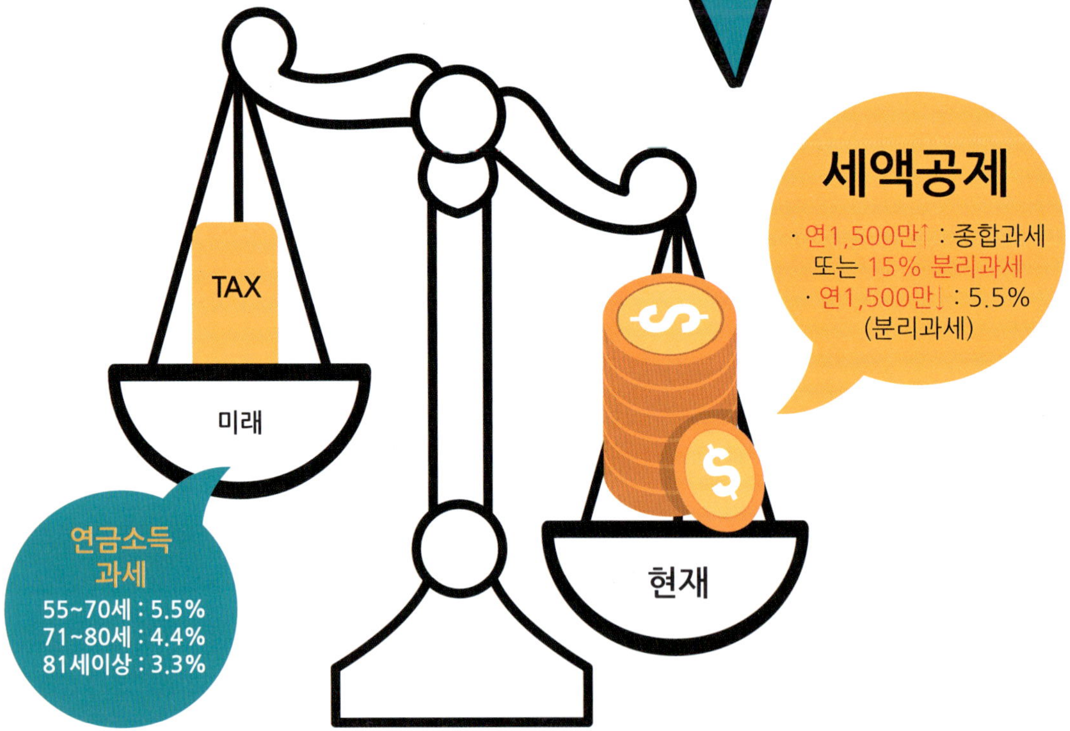

세액공제
· 연 1,500만↑ : 종합과세 또는 15% 분리과세
· 연 1,500만↓ : 5.5% (분리과세)

- TAX 미래
- 현재

연금소득 과세
- 55~70세 : 5.5%
- 71~80세 : 4.4%
- 81세이상 : 3.3%

고반물질30은 다모아미디어의 고유자산으로 무단 전제·복제 및 임의 사용시 저작권법 위반으로 5년이하의 징역 혹은 5천만원 이하의 벌금형이 부과됩니다.

질문 15: 세제적격연금에 부과되는 과세에 대해 자세히 설명해 주세요?

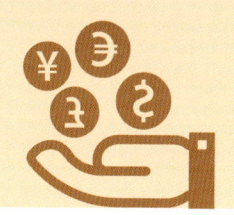

세제적격연금의 해지시 부과되는 과세

구분			대상자 요건
불입단계			모든 소득자가 **연간 600만원** 한도내에서 세액공제 (단, 근로자의 **퇴직연금** 불입액이 있는 경우 **연900만원** 한도 적용)
수령 단계	중도 해지	자의적해지	기타소득(16.5%)으로 **분리과세**
		주1) 부득이한 사유	연금소득(5.5%)으로 **분리과세**
	연금으로 수령	한도이내금액	연금소득(5.5%)으로 **원천징수** 한 뒤, **연 1,500만원 초과(24년~)** 시 다른 소득과 합산하여 **종합과세** 또는 **15% 분리과세 선택 가능**
		한도초과금액 — 자의적초과	기타소득(16.5%)으로 **분리과세**
		한도초과금액 — 주1) 부득이한 사유	연금소득(5.5%)으로 **분리과세**

주1) 부득이한 사유 : 천재지변·사망·해외이주·3개월이상질병치료·파산·개인회생절차 개시 등

질문 16 보험가입시 받게 되는 절세에 대해 자세히 설명해 주세요?

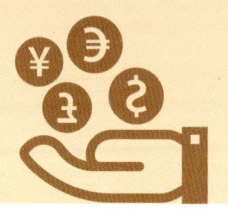

 세액공제

① **보장성보험료 : 12% 세액공제** : 근로소득자만 적용 (2014년부터 소득공제 -> 세액공제로 전환)
 - 공제한도 : 연 100만원
 - 세액공제 (지방소득세 포함) : **132,000원 절세** (100만원 X 12% X 110%)

② **세제적격연금보험료 : 12% 또는 15% 세액공제** : 모든 소득자 적용 [※2023년1월 변경]
 - 종합소득금액 4천5백만원이하 또는 근로소득만 있고 총급여 5,500만원 이하인 경우 : **15%**
  연 600만원 x 16.5%(지방소득세 포함) = **990,000원 절세**
 - 종합소득금액 4천5백만원이상 또는 근로소득만 있고 총급여 5,500만원 이상인 경우 : **12%**
  연 600만원 x 13.2%(지방소득세 포함) = **792,000원 절세**

저축성보험 보험차익 비과세

· 저축성보험 **10년이상 유지시** 보험차익 : **비과세**
 ※ 2017년 4월 1일부터 가입한 저축성보험 : 월납 인당 150만원, 일시납 인당 1억한도

보장성보험 보험차익 비과세

· **질병·사고** 등으로 보험금을 수령하면서 보험차익 발생시 : **비과세**

질문 17 보험차익 비과세가 어떻게 변해왔는지 설명해 주세요?

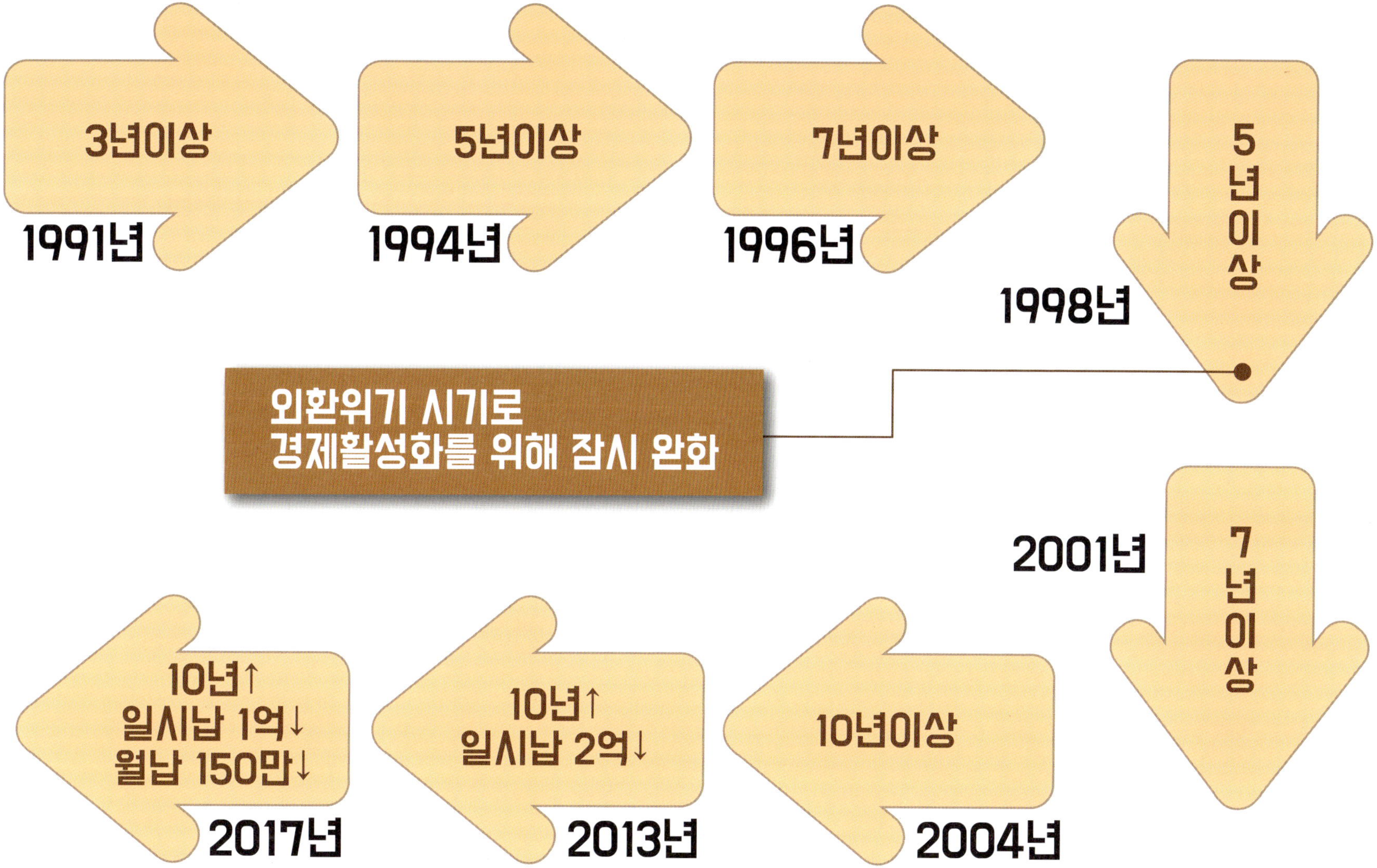

- 3년이상 — 1991년
- 5년이상 — 1994년
- 7년이상 — 1996년
- 5년이상 — 1998년 (외환위기 시기로 경제활성화를 위해 잠시 완화)
- 7년이상 — 2001년
- 10년이상 — 2004년
- 10년↑ 일시납 2억↓ — 2013년
- 10년↑ 일시납 1억↓ 월납 150만↓ — 2017년

연금저축

질문 18 저축성보험의 '비과세 요건'에 대해 자세히 설명해 주세요?

 비과세 요건 [소득세법 시행령 25조]

항목	2017년 4월 1일 **이전** 가입	2017년 4월 1일 **이후** 가입
일시납 보험	- 계약기간 10년 이상 - (한도) 1인당 총 보험료 2억 이하	- (좌동) - (한도) 1인당 총 보험료 **1억 이하**
월적립식 보험	- 계약기간 10년 이상, 납입기간 5년 이상 - 매월 균등 보험료 납입 - (한도) 없음	- (좌동) - (좌동) - (한도) 1인당 **월 보험료 150만원 이하**
종신형 연금보험	- 55세 이후 사망 시까지 연금지급 - 사망 시 보험계약, 연금재원 소멸	- (좌동) - (좌동)

※ 피보험자의 사망·질병·부상 그 밖의 신체상의 상해나 자산의 멸실 또는 손괴로 인해 받는 것은 비과세

해당 계약에 **아래의 어느 하나에 해당**하는 **변경**이 있다면 **'변경일을 기준'**으로 새로 계산

(1) 계약자 명의 변경
▶ 사망에 의한 변경은 제외
▶ 2013년 2월 15일 이후 건 적용

(2) 보장성보험에서 저축성보험으로 변경
▶ 2013년 2월 15일 이후 건 적용

(3) 기본보험료 1배를 초과 증액 변경
▶ 2013년 2월 15일 이후 건 적용
▶ 납입기간 5년이상 조건 재 적용

질문 19: 비과세요건이 납입보험료 또는 수령방법에 따라 과세여부가 달라진다면서요?

비과세 요건 _ 납입보험료 & 수령방법에 따른 과세여부

월 납입식 저축성보험		월 납입식 저축성보험을 제외한 저축성보험 (일시납보험)			
납입보험료	비과세 요건	납입보험료 (全 금융권)	수령방법	과세여부	비고
월납 150만원 이하	① 계약기간 : 10년이상 ② 납입기간 : 5년이상 ③ 월납 : 150만원이하 ④ 추가납입/분기납 보험료가 단1회라도 150만원을 초과하면 과세 ①.②.③.④요건 모두 충족시 비과세	1억원 이하	종신형	비과세	가입후 10년이내 연금수령시 종신형 연금보험 충족요건 있음
			상속형	비과세	
			확정형	과세	
		1억원 초과	종신형	비과세	
			상속형	과세	
			확정형	과세	

연금저축

질문 20: 비과세여부를 사례로 알기쉽게 설명해 주세요?

과세관련 질문	과세여부
월납 3년납 10년이상 유지시 과세여부? (추가납 포함 **총불입액 1억이하**)	비과세
중도인출 시 과세여부? (**계약 10년이상 유지**조건)	비과세
추가납 2배시 과세여부? (추가납 포함 월불입액 기준 **월150만원 이하**)	비과세
감액시 과세여부? (**기본보험료 균등조건**에 해당되는가?)	비과세
1억 즉시연금 확정형 연금 수령시 과세여부?	과세
1억 즉시연금 종신형/상속형 연금 수령시 과세여부?	비과세
[8천만원]+[8천만원]+[8천만원] 3건의 과세여부?	[비과세]+[과세]+[과세]
1억+중도인출 5천만+추가납 5천만원시 과세여부?	과세 (1억5천으로 판단)
종신형연금보험 (종신지급형/100세보증) 수령시 과세여부?	과세 (사망시 보험계약 및 재원 소멸조건 위배)
종신보험/기타보장성보험 과세여부? [※ 5년납이상 불입, 10년이상 유지]	비과세
사망원인으로 **계약자 변경시** 과세여부?	비과세 (변경 전·후 합산 10년이상 충족시)
중도환급금(저축성보험)이 **부가된 종신보험**의 과세여부?	월납 150만이하 : 비과세 월납 150만이상 : 과 세

고반물질30은 다모아미디어의 고유자산으로 무단 전제·복제 및 임의 사용시 저작권법 위반으로 5년이하의 징역 혹은 5천만원 이하의 벌금형이 부과됩니다.

목차 [질문 21~30번]

21. 연금수령시 과세체계에 대해 설명해 주세요?

22. '퇴직연금'에 대해 자세히 설명해 주세요?

23. '국민연금'에 대해 설명해 주세요?

24. '공무원연금'에 대해 설명해 주세요?

25. '사립학교교직원연금(=사학연금)'에 대해 설명해 주세요?

26. '군인연금'에 대해 설명해 주세요?

27. 4대 공적연금에 대해 비교설명해 주세요?

28. 주택연금제도에 대해 자세히 설명해 주세요?

29. 주택연금이용 현황에 대해 자세히 설명해 주세요?

30. 경험생명표 또 언제? 변경되나요?

연금저축

질문 21

연금수령시 과세체계에 대해 설명해주세요?

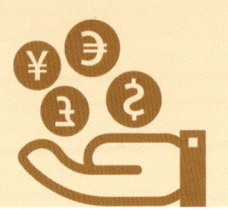

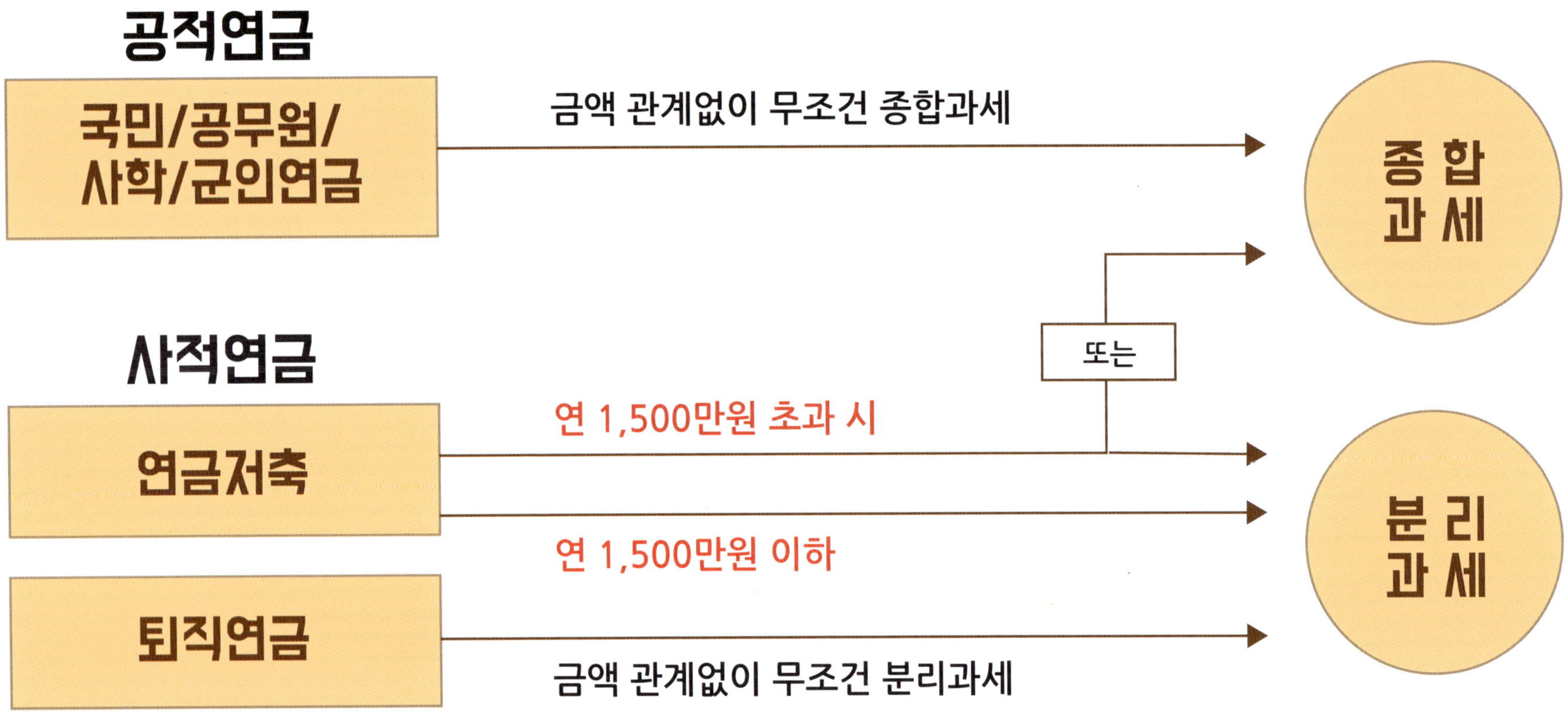

공적연금

| 국민/공무원/사학/군인연금 | — 금액 관계없이 무조건 종합과세 → **종합과세** |

사적연금

연금저축	— 연 1,500만원 초과 시 → 종합과세 또는 분리과세
연금저축	— 연 1,500만원 이하 → 분리과세
퇴직연금	— 금액 관계없이 무조건 분리과세 → **분리과세**

연금저축(세제적격연금)이 **연1,500만원을 초과할** 경우 **종합과세** 또는 15% **분리과세** (지방소득세 포함 16.5%)를 **선택할 수 있음**

질문 22: '퇴직연금'에 대해 자세히 설명해 주세요?

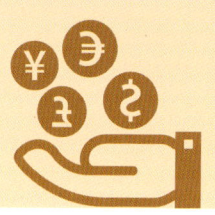

 정의 : 퇴직금을 회사가 직접 관리하지 않고, 금융기관이나 퇴직연금사업자에게 위탁해 퇴직금을 안전하게 보호하는 제도로 DB/DC/IRP로 구분

확정급여형 [DB] (Defined Benefit)
근로자가 받을 급여가 사전에 결정되어 있는 확정급여

확정급여형 [DC] (Defined Contribution)
근로자 개개인이 직접운용 하는 확정기여

개인형 [IRP] (Individual Retirement Pension)
사용자 부담금외에 IRP개인 계좌를 만들어 추가부담금 납입이 가능

	DB	DC	IRP
금융기관 적립비율	퇴직급여의 80%이상 사외적립 ※19~20년 90%, 21년이후 100%	퇴직급여 전액 사외적립	DB/DC형과 달리 개인이 운용 근로자가 이직·퇴직 시 받은 퇴직금을 본인의 계좌에 적립, 자신의 돈을 연 1,800만원 한도로 추가 납입해 운영 후 55세 이후에 연금이나 일시금으로 받는 연금 여러 회사에 이직을 한 경우도 IRP계좌 하나로 모아서 관리 퇴직하지 않아도 개설 가능
퇴직금 산정	최종 3개월 평균임금 x 근속연수	매년 회사 부담금 ± 운용수익(변동)	
퇴직금운용주체	회사	근로자	
중도인출	불가능	가능(법정사유 발생시)	
제도변경	DC제도로 변경 가능	DB제도로 변경 불가능	
제도 유·불리	임금상승률 > 운용수익률 : 유리 임금상승률 < 운용수익률 : 불리	임금상승률 > 운용수익률 : 불리 임금상승률 < 운용수익률 : 유리	

연금저축

질문 23: '국민연금'에 대해 설명해 주세요?

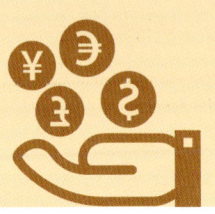

'국민연금' 급여 종류?

노령연금
국민연금의 기초가 되고 노후소득 보장을 위한 급여

장애연금
장애로 인한 소득감소에 대비한 급여

유족연금
가입자 또는 수급권자의 사망으로 인한 유족의 생계보호를 위한 급여

유족연금 차액보상금

유족이 지급받는 연금총액과 사망일시금을 비교하여 차액을 보전하고 생계와 형평성을 맞추기 위해 도입

사망일시금

유족연금 또는 반환일시금을 지급 받을 수 없는 경우 장제부조적·보상적 성격으로 지급하는 급여

반환일시금

여러 사유로 국민연금에 더 이상 가입할 수 없게 되었으나, 수급요건을 채우지 못한 경우 청산적 성격으로 지급하는 급여

Q : 국민연금에 꼭 가입해야 하나요?
A : 18세 이상 60세 미만의 국민은 국민연금에 가입

Q : 국민연금 기금이 소진되면 나중에 연금을 받지 못하나요?
A : 국민연금은 기금이 소진되어도 국가에서 책임지고 지급

Q : 국민연금, 낸 돈보다 많이 받는다는데, 사실인가요?
A : 국민연금은 납부한 금액보다 나중에 받는 액수가 많음

Q : 받게 될 예상연금액과 낸 연금보험료 내역을 알 수 있나요?
A : 국민연금 홈피(공인인증서 필요) 또는 '내 곁에 국민연금' 모바일 앱으로 확인 가능

Q : 물가가 오르면 연금액도 올라가나요?
A : 전년도 소비자물가변동률만큼 수령액도 조정됨

Q : 연금도 압류가 되나요?
A : 국민연금은 압류가 불가능

Q : 국민연금 수령액을 높이려면 어떻게 하나요?
A : 가입 중 반납, 추납, 임의계속가입 등 이용

Q : 암으로 투병중 장애연금을 받을 수 있나요?
A : 암 발생후 1년6개월 후 장애심사로 지급여부 결정, 1~3급 : 연금, 4급 : 일시보상금 지급

Q : 아버지 사망시, 유족연금 받을 수 있나요?
A : 사망 당시 생계를 유지하고 있던 가족에게 지급

Q : 외국으로 이민시, 납부한 보험료를 돌려받을 수 있나요?
A : 납부한 연금보험료를 일시불로 반환 가능

고반물질30은 다모아미디어의 고유자산으로 무단 전제·복제 및 임의 사용시 저작권법 위반으로 5년이하의 징역 혹은 5천만원 이하의 벌금형이 부과됩니다.

질문 24: '공무원연금'에 대해 설명해 주세요?

공무원연금제도?

공무원의 **퇴직 또는 사망**과 공무로 인한 **부상·질병·폐질**에 대하여 **적절한 급여**를 줌으로써, 공무원 및 그 유족의 **생활 안정**과 **복리 향상에 기여함**을 **목적**으로 하는 제도

연금의 종류 : 연금지급사유

구분	종류	지급사유
퇴직급여	퇴직연금	공무원이 10년이상 재직하고 퇴직할 때
	퇴직연금일시금	10년이상 재직 후 퇴직한 공무원에 퇴직연금에 갈음해 일시금으로 지급 받을 때
	퇴직연금공제일시금	10년이상 재직 후 퇴직한 공무원이 일부기간을 일시금으로 지급받고자 할 때
	퇴직일시금	공무원이 10년미만 재직하고 퇴직한 때
유족급여	유족연금	10년이상 재직한 공무원이 재직 중 사망한 때
	유족연금부가금	10년이상 재직한 공무원이 사망해 유족연금을 청구할 때
	유족특별부가금	퇴직연금 수급권자가 퇴직 후 3년 이내에 사망한 때
	유족연금일시금	10년이상 재직한 공무원이 재직 중 사망해 일시금으로 지급받고자 할 때
	유족일시금	10년미만 재직한 공무원이 사망한 때
재해보상	장해급여	장애연금 : 공무상 질병 및 부상으로 장애상태가 되어 퇴직한 경우
		장해보상금 : 장해연금에 갈음하여 일시금으로 지급받고자 할 때
	유족급여	순직유족연금/순직유직보상금 : 공무상 질병 및 부상으로 사망시
		위험직무순직유족연금/위험직무순직유족보상금 : 위험 직무 수행 중 사망시
퇴직수당	퇴직수당	공무원이 10년이상 재직하고 퇴직 및 사망한 때

질문 25 '사립학교교직원연금(=사학연금)'에 대해 설명해 주세요?

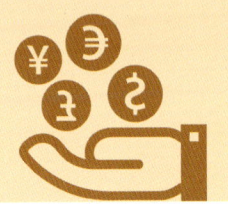

정의 : 사립학교 교직원의 퇴직·사망 및 직무상 질병·부상·장애에 대하여 적절한 급여제도를 확립하여 교직원 및 그 유족의 생활안정과 복리향상을 목적으로 1975년 1월 1일부터 시행, 부담률과 급여의 내용 등 '공무원연금제도'와 동일

교직원 학교법인 국가 → 부담금 납부 → 퇴직·사망 (직무상) 질병·부상·장애 → 급여 지급 → 생활안정 복리향상

사학연금 가입 현황 (2023년기준)

대상	가입기관	가입자수	수급자수	비고
사립학교 교·직원	5,845개	330,322명	98,750명	

사학연금 개정 [16년1월1일시행]

- **더 짧게 내고** : 연금수금 조건이 20년이상 가입 --> 10년이상 가입
- **더 많이 내고** : 부담률 7%(종전) --> 8.25%(2017년) --> 9% (2020년)으로 단계적 인상
- **더 적게 받고** : ① 연금지급률 1.9%(종전) --> 1.7%로 단계적 인하 (연금산정 기준소득 계산시 개인보수+전체보수 함께 산정)
  ② 근로+사업소득 --> 근로+사업+부동산임대소득 포함 전년 평균연금액보다 많으면 최대50%까지 감액 지급
- **더 늦게 받고** : 연금지급개시연령 60세 --> 65세
  (단, 1995.12.31이전 임용자는 종전 규정 우선 적용/2016년~2021년 퇴직자(정년과 무관)는 60세 연금수령)

질문 26 '군인연금'에 대해 설명해 주세요?

 **군인연금이 좋은 이유1** : 직업군인으로 19년6개월이상 근무하고 퇴직하면 퇴직 즉시 받는 연금

 **군인연금이 좋은 이유2** : 직업군인 수납자가 사망 시 가족들에게 유족연금이 지급되는데 지급률은 70%
(단.13년7월1일이후 임관자의 지급률은 60%)

 **군인연금 지급액 현황** (2016년기준)

단위 : 원, 명

지급액(원)	군인연금 불입	적자보전	연금 수급자
2조8037억	1조7000억	1조3446억	8만5413명

 **군인연금과 공무원연금 비교**

군인연금	구분	공무원연금
기준소득월액의 7%	기여금	기준소득월액의 9%
복무기간당 1.9%	지급률	재직기간당 1.7%
퇴직연금의 70%	유족연금	퇴직연금의 60%
퇴역직후	지급시점	65세
1656만원(년)	1인당국가보전금	552만원(년)

※ 국가보전금은 2022년 기준

연금저축

질문 27: 4대 공적연금에 대해 비교설명해 주세요?

4대 공적연금 : 비교 (2024년기준)

구분	국민연금	공무원연금	사학연금	군인연금
관리주체	보건복지부	행정안전부	교육과학기술부	국방부
운영주체	국민연금공단	공무원연금공단	사학연금공단	국방부
대상	18~60세 국민 및 거주외국인	각 법에 따른 공무원	각 법에 규정된 학교기관	복무군인
도입시기(시행연도)	1973년(1988년)	1960년(1960년)	1972년(1975년)	1960년(1960년)
근거법률	국민연금법	공무원연금법	사립학교교직원연금법	군인연금법
가입자 수 (2023년말)	2,238만명	128만명	33만3백명	19만2천명
연금지급 시점	61세(13년부터 5년마다 1세씩증가)	50~59세(95년이전임용자) 60세(96년이후임용자) 65세(10년이후임용자)	65세	20년이상 복무 시 퇴역직후 바로
소득대체율	42.5% (28년까지 40%로↓)	61.2%	51%	62.7%
본인부담률/지급률	4.5% / 1%	9% / 1.7%	9% / 1.7%	7% / 1.9%
재정현황	2055년 기금고갈	2002년 기금고갈	2049년 기금고갈	1973년 기금고갈
정부재정투입 (2025년)	103억원	6조원	1.14조원	3.3조원
의무지출 전망(2025년)	40조원	25조원	5.8조원	4.1조원

자료 : 국회 연금개혁특별위원회등. 2023년

질문 28: 주택연금제도에 대해 자세히 설명해 주세요?

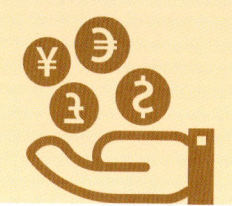

 주택연금이란?

만55세 이상의 자가 소유 주택을 담보(공시가 12억원이하)로 맡기고 일정기간 동안 매월 연금을 받는 방식의 국가 보증 금융상품

	주택연금
가입조건	<ul><li>만55세(부부 중 1인)</li><li>부부기준 가격 : 공시가격 12억원이하(시세17억이하)</li><li>가입자 또는 배우자 실제 거주(주민등록전입)</li></ul>
장점	<ul><li>자신의 집에서 평생 거주하면서 연금 수령</li><li>연금수령액이 주택가액을 초과해도 청구 없음</li><li>국가보증으로 연금수령 중단 걱정 없음</li><li>재산세 감면등 세금 혜택</li><li>배우자 한 명이 사망해도 감액없이 100% 동일금액 수령</li><li>집값 상승 시 사망 후 남은 금액에 대해 상속이 가능</li></ul>
단점	<ul><li>집값이 올라도 월 지급액은 변동 안됨</li><li>해지 후 3년이내 재가입 불가</li><li>가입비(보증료)로 주택가격의 1.5%를 지불</li><li>이사할 경우 담보주택 변경에 따른 추가비용 발생가능</li><li>주택 소유주와 이혼하게 되면 주택연금 수령 불가</li><li>주택 소유주와 재혼으로 배우자가 된 경우도 연금수령 불가</li></ul>
가입시 유의할점	<ul><li>이자 및 보증료 :<ul><li>역모기지론의 일종으로 받은 금액에 대해 이자발생</li><li>초기보증료(주택가격의 1.5%) / 연보증료(보증잔액의 0.75%)</li></ul></li><li>중도해지시 상환 : 해지시 남은 대출금 갚아야 함</li><li>추가 주택 취득 제한 : 우대형 주택연금 가입자는 추가 주택 취득이 제한</li><li>12억 이상 주택 소유자 : 만약 시세 12억이상이면 12억이하 시세 주택 연금액보다 손해를 볼 수 있음</li></ul>

연금저축

 **질문 29** ## 주택연금이용 현황에 대해 자세히 설명해 주세요?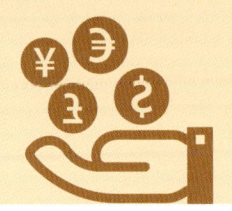

 ### 주택연금 이용현황

72.1세	가입자 평균연령
120만원	평균 월 지급금
383백만원	평균 담보주택가격
65%(종신형)	선호하는 지급방식
118.2만원	70세 4억원짜리 아파트 주택연금에 맡기면 월 연금은?
123,852명	가입자수(부부 중 연소자 기준)
종신지급방식	지급방식중 최다 선택유형
정액형	지급유형별 최다 선택유형

자료 : 한국주택금융공사, 24년2월말 기준

질문 30: 경험생명표 또 언제? 변경되나요?

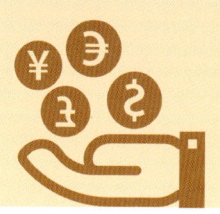

제10회 경험 생명표 변경
(2024년 4월 변경)

경험생명표 9회에서 10회로 변경

보험료 인상
① 종신형연금 ② 건강보험 ③ 암 ④ 치매간병

보험료 인하
① 종신보험 ② 사망보험 ③ 손해율안정상품

회차	1회	2회	3회	4회	5회	6회	7회	8회	9회	10회
시기	89~91	92~96	97~02	02~05	06~09	09~12	12~14	15~18	19~23	24~27
남자	65.7세	67.1세	68.3세	73.3세	76.4세	78.5세	80.0세	81.4세	83.5세	86.3세
여자	75.6세	76.7세	77.9세	80.9세	84.4세	85.3세	85.9세	86.7세	88.5세	90.7세
연금 감소율	6.0%↓	6.1%	6.2%↓	6.3%↓	6.4%↓	6.5%↓	6.7%↓	7~10%↓	8~10%↓	8~10%↓

출처 : 보험개발원

종신형 연금수령액 감소

연금저축

고객이 반드시 물어보는 질문 30가지

생명보험

생활필수보험 | 가계 의료관련지출 1위 '치과진료비'
큰돈 드는 치과치료
'치아보험'이 지켜드립니다.

치아보험

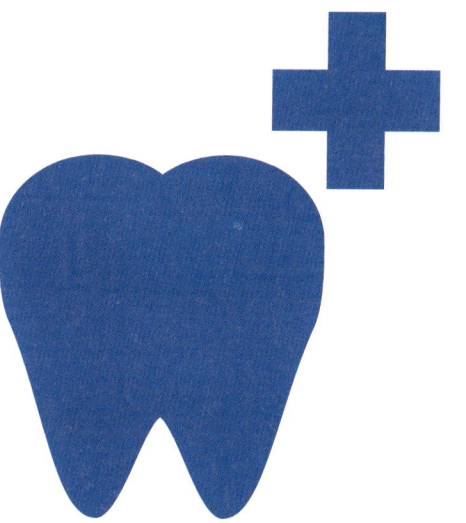

치아보험

고반물질30은 **다모아미디어**의 고유자산으로 무단 전제·복제 및 임의 사용시 저작권법 위반으로 5년이하의 징역 혹은 5천만원 이하의 벌금형이 부과됩니다.

목차

1. 치아보험이 무엇인가요?
2. 치아보험이 왜? 필요한가요?
3. 치아보험 가입자수와 충치 및 잇몸질환자도 해마다 늘어나고있다면서요?
4. 건강한 치아를 유지하기 위한 좋은 생활습관이 있으면 알려주세요?
5. 치아의 구조와 명칭에 대해 자세히 설명해 주세요?
6. 성인의 치아는 몇 개고 어떻게 구성되어 있나요?
7. 치아의 경제적 가치는 얼마나 될까요?
8. 어떤 치아보험이 좋은 보험인가요?
9. 치아보험은 생보, 손보 중 어디가 더 유리한가요?
10. 치아보험 가입시 주의해야 할 점은 무엇인가요?
11. 치아보험 중 진단형과 무진단형은 무슨 차이가 있나요?
12. 치아보험 '무진단형'은 가입 전 '고지사항'이 생각보다 간단하다면서요?
13. 치과 의료비중에 '급여항목'과 '비급여항목'은 무엇인가요?
14. 치과치료 중 '보철치료'가 무엇인가요?
15. 치과치료 중 '보존치료'가 무엇인가요?
16. '치아우식증(충치)'이 무엇인가요?
17. '치아우식증(=충치)'의 종류는?
18. '치주질환'이 무엇인가요?
19. '감액기간'과 '면책기간'에 대해 설명해 주세요?
20. 치아보험에서 '보장개시일'을 알기 쉽게 설명해 주세요?
21. 치아보험에서 '면책조항'에 대해 자세히 설명해 주세요?
22. 어린이 치아보험은 성인치아보험과 달리 어떤 담보를 중점적으로 가입해야 하나요?
23. 건강한 치아가 장수의 비결이고, 치아와 치매가 밀접한 관련이 있다면서요?
24. 치아관리를 잘못하면 신체의 다른 부위에 중대한 질병등으로 이어질 수 있다면서요?
25. 스케일링은 어떤 효과가 있고, 보험적용은 되는 지 자세히 설명해 주세요?
26. 잇몸질환시 시중에 판매하는 약(인사X, 이가X)을 먹으면 잇몸건강에 도움이 되나요?
27. 턱관절질환에 대해 자세히 설명해 주고, 의료실비보험이나 치아보험에서 보상이 되나요?
28. 치아보험중 최근 주력상품으로 자세히 비교설명해 주세요?
29. 가계부담 1위인 '치과비용'에 대해 자세히 설명해 주세요?
30. '임플란트가 보험적용'이 된다면서요? 어떤 경우가 해당되나요?

목차 [질문 1~10번]

1. 치아보험이 무엇인가요?

2. 치아보험이 왜? 필요한가요?

3. 치아보험 가입자수와 충치 및 잇몸질환자도 해마다 늘어나고있다면서요?

4. 건강한 치아를 유지하기 위한 좋은 생활습관이 있으면 알려주세요?

5. 치아의 구조와 명칭에 대해 자세히 설명해 주세요?

6. 성인의 치아는 몇 개고 어떻게 구성되어 있나요?

7. 치아의 경제적 가치는 얼마나 될까요?

8. 어떤 치아보험이 좋은 보험인가요?

9. 치아보험은 생보, 손보 중 어디가 더 유리한가요?

10. 치아보험 가입시 주의해야 할 점은 무엇인가요?

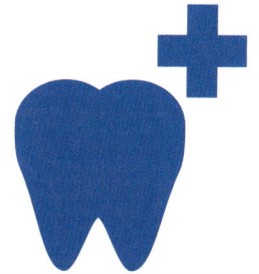

치아보험

질문 01 '**치아보험**'이 무엇인가요?

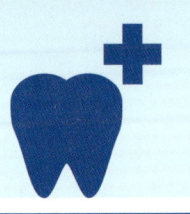

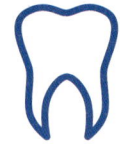 **치아보험이란?**

질병(충치 및 잇몸질환) 또는 **상해**로 인해 치아에 **보철치료** 및 **보존치료** 등의 치료를 받을 경우 **각종 치과치료**에 드는 **비용을 보장**해주는 **치아전용 보험**상품

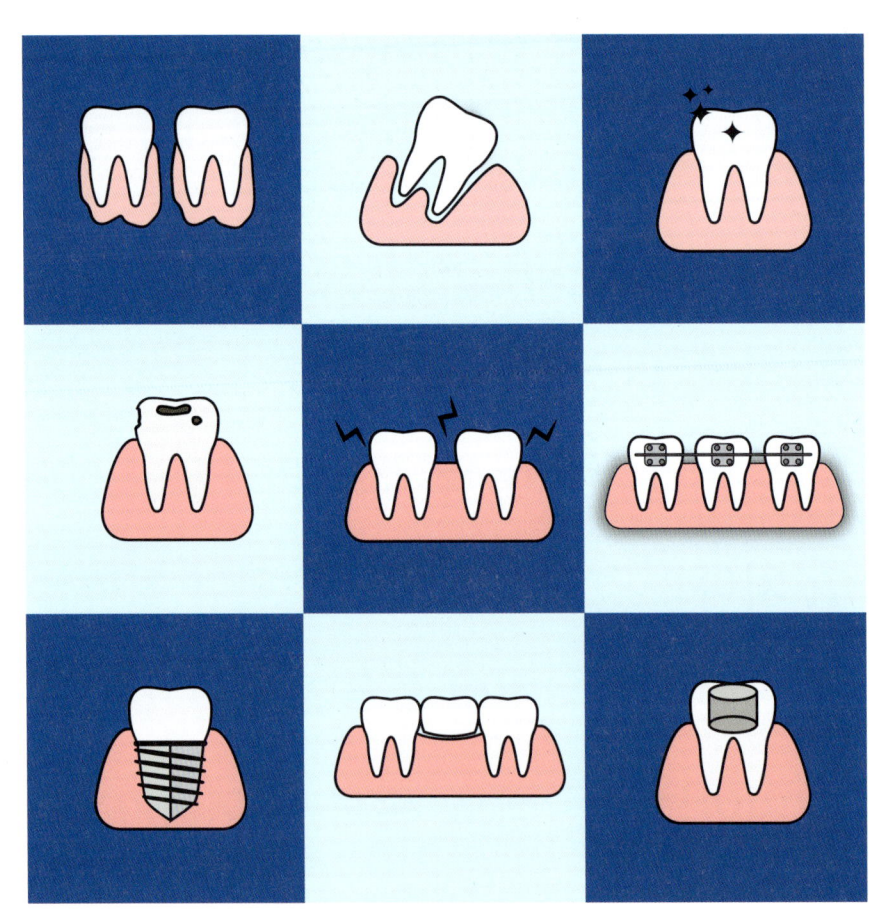

고반물질30은 다모아미디어의 고유자산으로 무단 전제·복제 및 임의 사용시 저작권법 위반으로 5년이하의 징역 혹은 5천만원 이하의 벌금형이 부과됩니다.

질문 02 치아보험이 왜? 필요한가요?

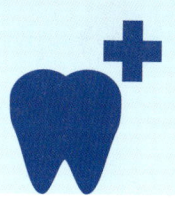

🦷 비싼 치료비용

치아1개당 평균치료비 57만원

- 20만원 미만: 24%
- 20~30만원: 17.1%
- 30~50만원: 24.3%
- 50~100만원: 12.1%
- 100만원 이상: 19.4%
- 무응답: 3.1%

🦷 치과치료 포기 이유

치과치료 포기 : 돈이 비싸서

- 경제적이유: 35.9%
- 덜 중요: 22%
- 직장·학교: 20.7%
- 무서움: 11.5%
- 기타: 9.9%

🦷 너무 높은 본인부담금
[최소한의 의료보험 혜택]

치아치료 본인부담 84%

- 본인부담 84%
- 국민건강보험 부담분

🦷 연간 1인당 치과 치료비용

연간 1인당 치과치료 비용

연간 168만원

출처 : 건강보험통계연보

치아보험

고반물질30은 다모아미디어의 고유자산으로 무단 전제·복제 및 임의 사용시 저작권법 위반으로 5년이하의 징역 혹은 5천만원 이하의 벌금형이 부과됩니다.

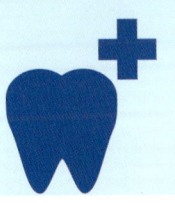

질문 03: 치아보험 가입자수와 충치 및 잇몸질환자도 해마다 늘어나고있다면서요?

치아보험 누적 가입자 수 추이

약 700만명

5년사이 무려 224% 증가

[단위:명]

2013년	2014년	2015년	2016년	2017년
309만	426만	509만	601만	694만

[자료] 건강보험심사평가원

충치 및 잇몸질환 진료 추이

1720만명

6년사이 무려 42% 증가

[단위:명]

2012년	2013년	2014년	2016년	2018년
1215만	1366	1603만	1680만	1720만

[자료] 건강보험심사평가원

고반물질30은 다모아미디어의 고유자산으로 무단 전제·복제 및 임의 사용시 저작권법 위반으로 5년이하의 징역 혹은 5천만원 이하의 벌금형이 부과됩니다.

질문 04: 건강한 치아를 유지하기 위한 좋은 생활습관이 있으면 알려주세요?

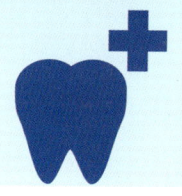

정기적인 검진	규칙적인 스케일링, 잇몸검사
올바른 칫솔질	안, 바깥, 혀, 입천장까지 3분이상 일당 4~5회
칫솔의 주기적 교체	가늘고 부드러운것, 최소한 3개월에 한번 교체
치간치솔, 치실 사용	양치후 이수씨개 대신 치간치솔이나 치실 사용
산성음식 섭취후 바로 양치하지 않기	탄산, 스포츠음료 마신후 바로 양치하지 않기
뜨거운 음식, 조심하기	뜨거운 식사, 차 섭취시 치아표면 파절 조심

치아보험

 고반물질30은 다모아미디어의 고유자산으로 무단 전제·복제 및 임의 사용시 저작권법 위반으로 5년이하의 징역 혹은 5천만원 이하의 벌금형이 부과됩니다.

질문 05 · 치아의 구조와 명칭에 대해 자세히 설명해 주세요?

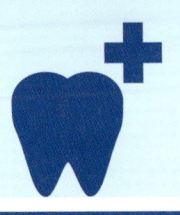

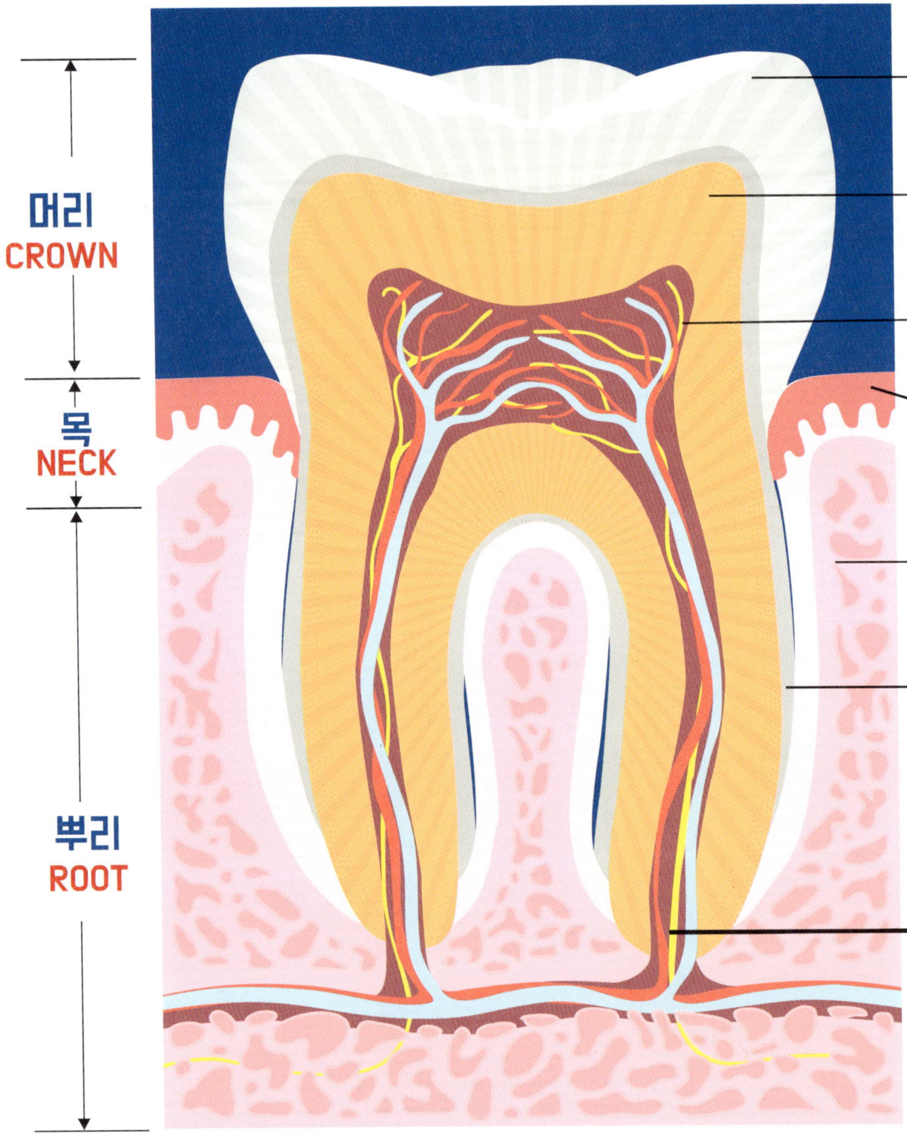

- **머리 CROWN**
- **목 NECK**
- **뿌리 ROOT**

법랑질 : Enamel
- 유리질 또는 사기질. 96% 무기질로 구성

상아질 : Dentin
- 뼈와 비슷해 뼈질. 70% 무기질로 치아 대부분을 구성

치수 : Pulp
- 혈관 및 신경조직

치은/잇몸 : Gum
- 치아 및 치조골을 보호하는 역할

치조골/잇몸뼈 : Alveolar Bone
- 치아를 지탱하는 뼈

백악질 : Cementum
- 치아가 치조골에 붙게하는 역할로 50%가 무기질로 뿌리를 감싸고 있음

치근관/부근관 : Root canal
- 치수 조직을 포함하고 있는 치아 내부의 치근부 (치아의 뿌리 부위)를 말함

고반물질30은 다모아미디어의 고유자산으로 무단 전제·복제 및 임의 사용시 저작권법 위반으로 5년이하의 징역 혹은 5천만원 이하의 벌금형이 부과됩니다.

질문 06 성인의 치아는 몇 개고 어떻게 구성되어 있나요?

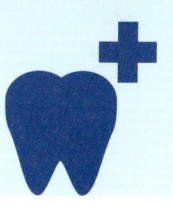

성인의 치아개수?
28개
[덧니 4개 제외]

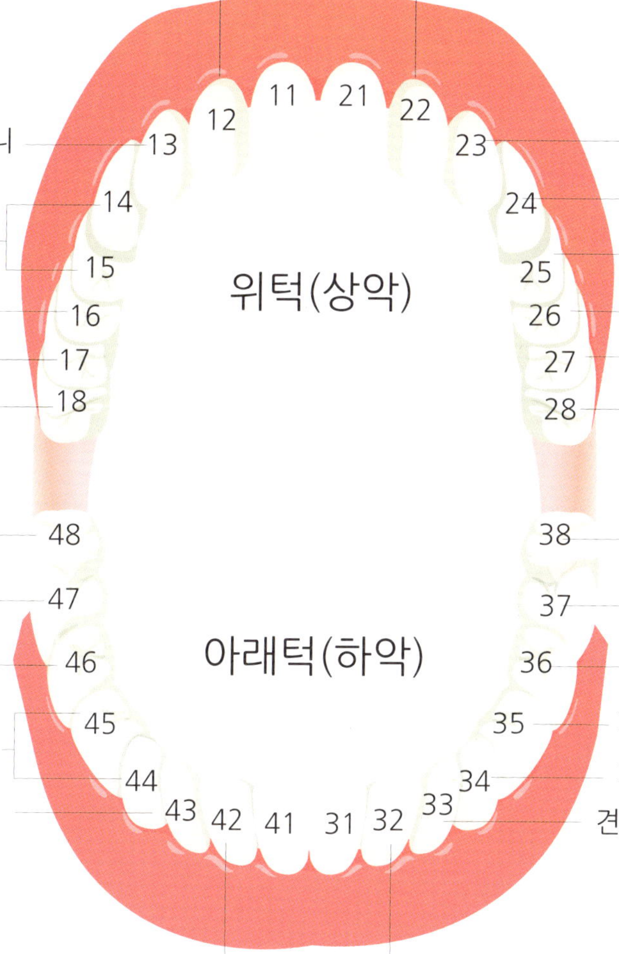

앞니

- 송곳니 — 13 / 23 — 송곳니
- 12, 11, 21, 22
- 작은어금니 — 14, 15 / 24 첫째작은어금니, 25 둘째작은어금니
- 위턱(상악)
- 큰어금니 — 16, 17, 18 / 26 첫째큰어금니, 27 둘째큰어금니, 28 셋째큰어금니(사랑니)

- 대구치 — 48, 47, 46 / 38 제3대구치(사랑니), 37 제2대구치, 36 제1대구치
- 아래턱(하악)
- 소구치 — 45, 44 / 35 제2소구치, 34 제1소구치
- 견치 — 43, 42, 41, 31, 32, 33 — 견치

전치

치아보험

고반물질30은 다모아미디어의 고유자산으로 무단 전제·복제 및 임의 사용시 저작권법 위반으로 5년이하의 징역 혹은 5천만원 이하의 벌금형이 부과됩니다.

질문 07 치아의 경제적 가치는 얼마나 될까요?

치아 1개의 경제적 가치?

개당 3만불 X 1150원 X 28개
= 약10억원

출처 : 미국연구기관 발표자료

70대 이상 평균 잔존치아 수
남자 15개 / 여자 14

질문 08 : 어떤 치아보험이 좋은 보험인가요?

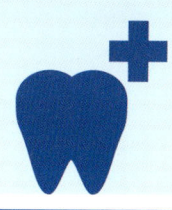

1. **보장기간 [=갱신기간]이 길다**
2. **감액기간이 짧다**
3. **임플란트등 개수 제한이 없다**
4. **보장금액이 크다**
5. **보험료가 싸다**
6. **치수치료[신경치료] 보장된다**
7. **납입면제가 있다**
8. **만기환급금이 있다**

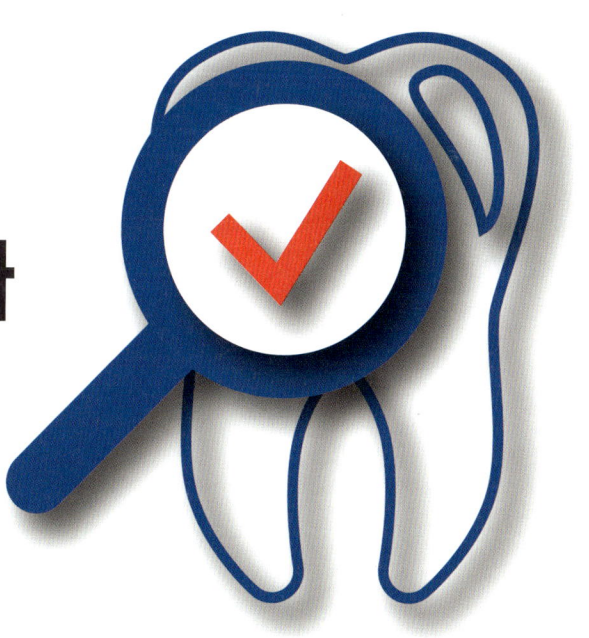

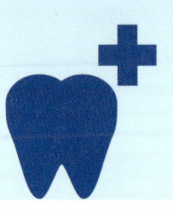

질문 09

치아보험은 생보, 손보중 어디가 더 유리한가요?

치아보험은 **손해보험·생명보험**에서 **모두 판매**하고 있으며, 보험사마다 상품의 보험기간, 가입연령, 가입금액, 납입면제등 천차만별로 차이가 나므로 **반드시 비교**해서 **가입**해야 하는 대표적인 상품

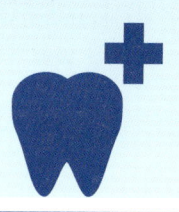

질문 10 치아보험 **가입시 주의**해야 **할 점**은 무엇인가요?

치아보험 가입전 주의사항

- 🦷 **보장개시일**
  상해는 가입일부터, 질병보장은 면책기간 91일째부터 개시
  보철치료는 감액기간이 존재하므로 보험사별 조건 비교 필수

- 🦷 **면책조항**
  이미 발치한 치료가 있을 경우는 보철치료가 면책이므로
  가입 전 치료이력을 꼭 확인해야 함

- 🦷 **보험료 납입**
  보험료 변동이 적은 비갱신형이나 갱신형의 경우는 갱신기간이
  가급적 긴 것으로 선택하는게 유리

- 🦷 **연간 보장횟수**
  연간 보장횟수 제한이 없는 보험을 선택하는게 유리

- 🦷 **고지의무**
  가입전 질문사항에 정확히 답해야 정확한 보장 가능

목차 [질문 11~20번]

11. 치아보험 중 진단형과 무진단형은 무슨 차이가 있나요?

12. 치아보험 '무진단형'은 가입 전 '고지사항'이 생각보다 간단하다면서요?

13. 치과 의료비중에 '급여항목'과 '비급여항목'은 무엇인가요?

14. 치과치료 중 '보철치료'가 무엇인가요?

15. 치과치료 중 '보존치료'가 무엇인가요?

16. '치아우식증(충치)'이 무엇인가요?

17. '치아우식증(=충치)'의 종류는?

18. '치주질환'이 무엇인가요?

19. '감액기간'과 '면책기간'에 대해 설명해 주세요?

20. 치아보험에서 '보장개시일'을 알기 쉽게 설명해 주세요?

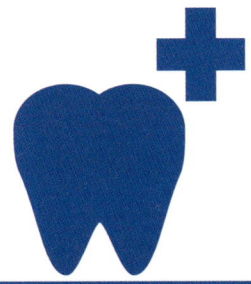

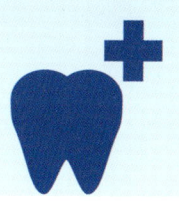

질문 11 치아보험 중 **진단형**과 **무진단형**은 무슨 **차이**가 있나요?

 치아보험은 **가입 전 검진 유무**에 따라 **진단형**과 **무진단형**으로 나눌 수 있습니다.

- **진단형** : 가입전 **치아 상태를 확인**하고 통과해야 가입, **면책기간無**, 무진단형보다 **보장금액**이 크고, 비쌈
- **무진단형** : 치아의 상태와 관계없이 **보험사가 정한 가입조건**을 통과하면 가입, 면책기간인 **90일~1년** 이후에 제대로 된 **보장**을 받을 수 있는 상품

 무진단형과 진단형의 비교

구분	무진단형			진단형		
	면책기간	감액기간	보장한도	면책기간	감액기간	보장한도
보철치료 (임플란트,브릿지,틀니)	가입 후 **90일** ※보험사마다 차이可	90일~2년 (50%) ※보험사마다 차이可	연간3개,무제한 (틀니 연1개) ※보험사마다 차이可	없음	없음	무제한
보존치료 (크라운,충전 및 발치)		90일~1년 (50%) ※보험사마다 차이可	무제한 (발치3개) ※보험사마다 차이可	없음	없음	무제한
보장범위	**질병**(치아우식, 치수 및 치근단주위 조직질환, 치은염 및 치주질환) **및 상해**			**질병**(치아우식, 치수 및 치근단주위 조직질환, 치은염 및 치주질환)		

치아보험

고반물질30은 다모아미디어의 고유자산으로 무단 전제·복제 및 임의 사용시 저작권법 위반으로 5년이하의 징역 혹은 5천만원 이하의 벌금형이 부과됩니다.

질문 12 치아보험 '무진단형'은 가입 전 '고지사항'이 생각보다 간단하다면서요?

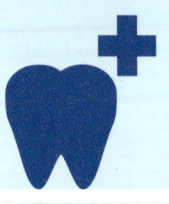

아래의 3가지 중 해당이 없으면 무사통과

1. 현재 **틀니**를 하고 계십니까?   ☐ 예 ☑ 아니오

2. 최근 **1년이내** 충치로 의사로부터 **진찰** 또는 **검사**를 통해 치료, 투약 같은 **의료행위를 받은 사실**이 있거나, 치료가 필요하다는 **진단**을 받은 적이 있습니까?   ☐ 예 ☑ 아니오

   > 충치 치료한지 1년 이내라도 치료 종료 후 **완치**만 되면 **즉시가입 가능!!!**

3. 최근 **5년이내** 치주질환(잇몸병,풍치)으로 **자연치를 1개 이상 상실**하거나 **치주수술(잇몸수술)을 받았거나**, 치주수술이 **필요**하다는 **진단**을 받은 적이 있습니까?   ☐ 예 ☑ 아니오

   ※ 치주염 치료한지 5년이내라도 **스켈링, 치근활택술, 소파술을 시행**한 경우에는 **가입가능**

자료 : 라이나생명 : (무)THE건강한치아보험V(갱신형) (2022.12월) : 타보험사와는 차이가 있을 수 있음

질문 13 치과 의료비중에 '급여항목'과 '비급여항목'은 무엇인가요?

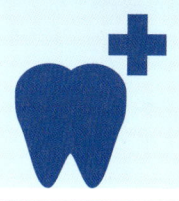

급여항목
[건강보험공단에서 치과치료비의 일부를 지원해주는 항목]

- **발치** : 사랑니 발치, 수술 발치, 치료목적의 발치
- **스케일링** : 만20세이상의 경우 연1회
- **파노라마 사진** : 치아상태 진단을 위한 엑스레이 파노라마사진
- **만65세이상** : 임플란트(평생2개), 틀니임플란트 (본인부담 30%), 틀니(본인부담 30%)
- **치과 정기검진** : 정기적인 검진
- **신경치료** : 충치, 신경염증으로 신경치료

비급여항목
[환자가 비용을 100% 부담하는 치료]

- **충전[보존]치료** : 고급 재료를 사용하는 충전치료 크라운, 레진, 인레이(레진,골드,세라믹)등
- **보철치료** : 치아를 인공적으로 만들어 주는 치료 임플란트, 브릿지, 틀니등
- **치아교정** : 치아를 바르게 배열하기 위해 교정하는 치료
- **치아미백** : 외관상 보기 좋게하는 미백치료 : 라미네이트등

 치과치료비 **본인부담비율**

비급여 [본인부담] 84% | 급여 [건강보험부담] **16%**

보건복지부, 2019년

치아보험

고반물질30은 다모아미디어의 고유자산으로 무단 전제·복제 및 임의 사용시 저작권법 위반으로 5년이하의 징역 혹은 5천만원 이하의 벌금형이 부과됩니다.

질문 14

치과치료 중 '보철치료'가 무엇인가요?

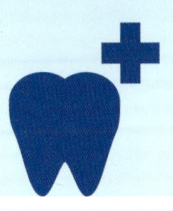

보철치료란?

충치나 발치 또는 외상 등으로 치아가 손상되거나 상실된 경우 **인공적인 치아를 만들어 원래의 기능을 되살려주는 치료**

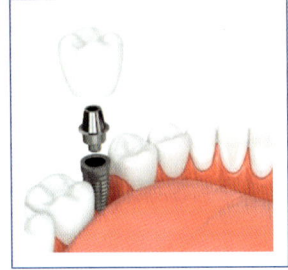

임플란트

빠진 치아자리에 인공치아를 심는 인공대치물, 주로 티타늄금속을 사용해 유착시킨 후, 그 위에 보철물을 고정시켜 치아의 역할을 대체하는 치료

평균치료비용
70~150만원
[수입재료 : 100~300만원]

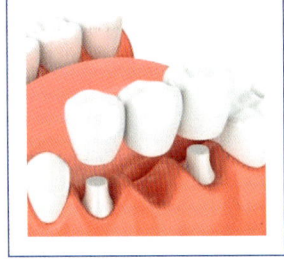

브릿지

상실된 치아 주변의 두개의 치아 또는 그 이상의 치아를 기둥삼아, 그위에 보철물을 고정시켜 치아의 역할을 대체하는 치료

평균치료비용
30~50만원

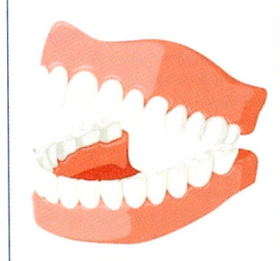

틀니

상실된 치아를 대신하는 인공치아와 그 구조물, 직접 탈/부착이 가능한 치료

평균치료비용
부분 : 150만원
전체 : 200만원

질문 15: 치과치료 중 '보존치료'가 무엇인가요?

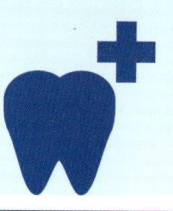

보존치료란?
충치 및 기타 치아질환 등으로 인해 치아의 손실이 발생한 경우, **발치없이 치료하여 치아를 보존함으로써 건강한 치아상태를 유지**하는 치료

이미지	종류	설명	평균치료비용
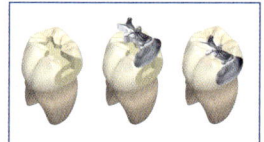	아말감	치아보존 치료재료로 구리, 주석, 은 등의 합금과 수은의 혼합체로 현재는 거의 사용을 안함	평균치료비용 1~2만원
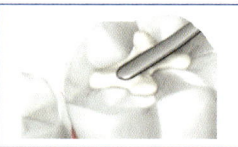	글래스아이노머(GI)	치아보존 치료재료로 산 부식처리가 필요없는 화학접착으로 수복하는 재료를 말함	평균치료비용 1~2만원
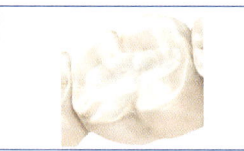	레진	손상부위가 크지 않은 곳에 치과용 레진으로 치아에 직접 충전하는 치료를 말함	평균치료비용 5~20만원
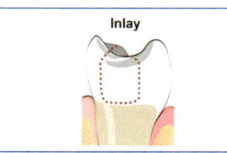	인레이	금이나 도재로 본을 떠서 시멘트로 합착하는 치료로 충전면적이 적을 때 하는 치료	평균치료비용 10~20만원
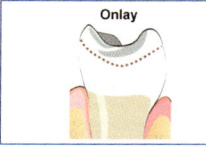	온레이	인레이와 같은 치료지만 윗면과 옆면까지 인레이 보다 충전면적이 넓을 때 하는 치료	평균치료비용 20~50만원
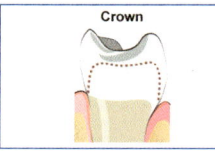	크라운	금이나 세라믹 등의 충전물로 치아를 덮어 치아의 형태와 기능을 재생시켜주는 치료	평균치료비용 35~80만원

치아보험

질문 16

'치아우식증(충치)'이 무엇인가요?

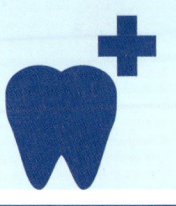

 ## 치아우식증 : [=충치]

입 안에 서식하는 박테리아가 입 안에 남은 설탕, 전분 등을 분해시켜서 생겨난 산으로 인해 충치가 생기는 구강질환

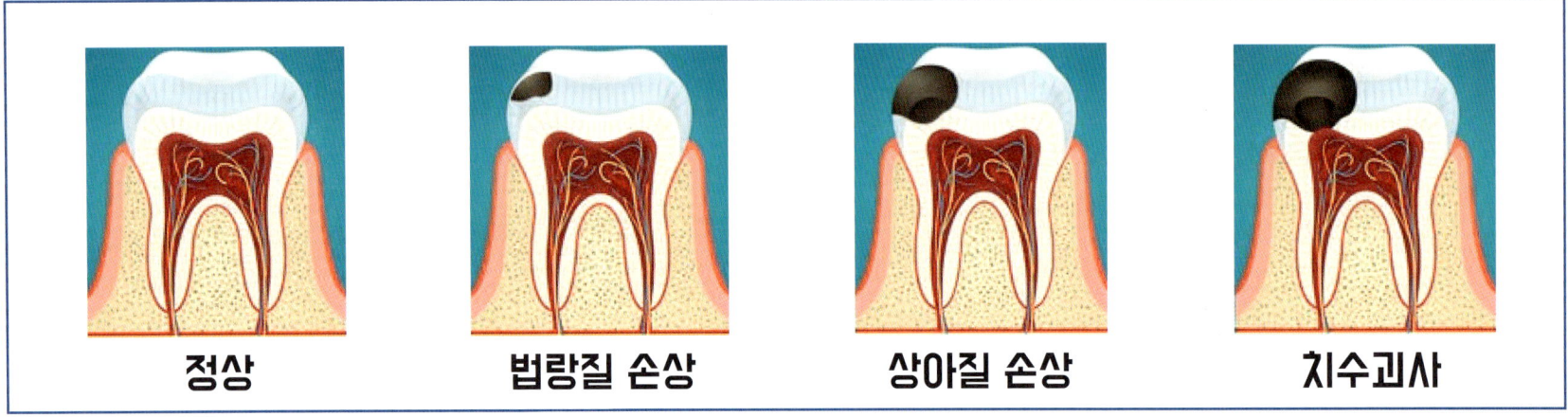

| 정상 | 법랑질 손상 | 상아질 손상 | 치수괴사 |

 ## 주요원인

플라그는 치아에 남겨진 음식물과 세균에 의해 생성되므로 구강청결과 밀접

 ## 예방

당류 음식을 피하고, 333양치질로 하루 세번, 식후 30분 안에, 3분 동안 올바른 양치로 구강청결을 지키는 것이 중요

질문 17: 치아우식증(=충치)의 종류는?

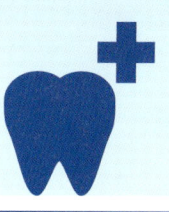

STEP1 법랑질 충치
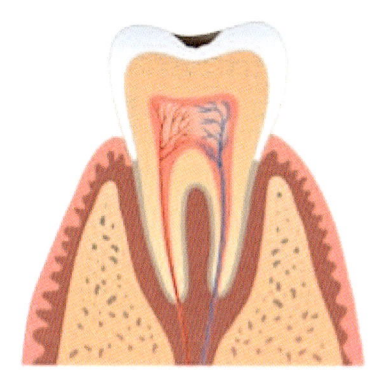
치아 겉면인 법랑질의 충치로 통증이 없으면 육안으로도 관찰이 힘듦

STEP2 상아질 충치
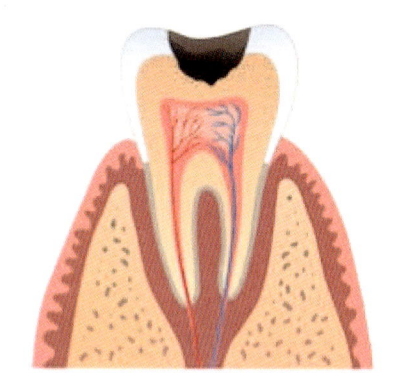
법랑질 안쪽에 있는 상아질까지 충치가 진행되어 뜨겁거나 차가운 음식을 먹으면 시림

STEP3 치주염 충치
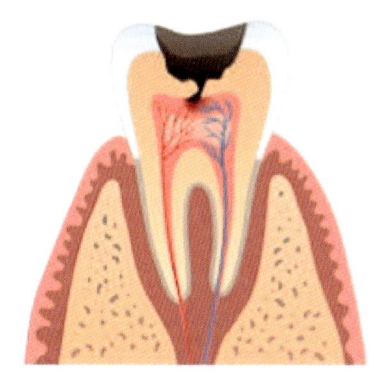
상아질 안쪽 신경까지 염증이 진행되어 극심한 통증으로 참기 어려워짐

STEP4 치주 괴사
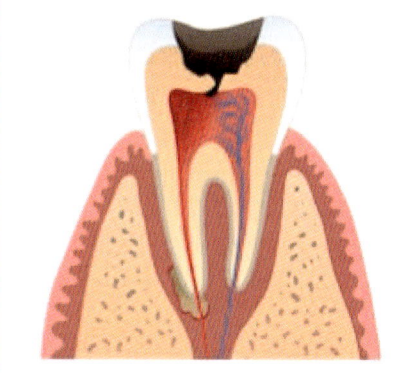
신경이 모두 썩고, 치아뿌리에 고름이 생기며, 심하면 발치후 임플란트 시술이 필요함

질문 18 '치주질환'이 무엇인가요?

 치주질환 = 잇몸질환 = **인류의 질환**

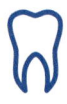 **성인 10명중 7명이상 치주질환** : 방치시 발치 초래

 치주질환 환자 1,343만명 : 감기환자 1,500만명 다음으로 높은 통계 수치

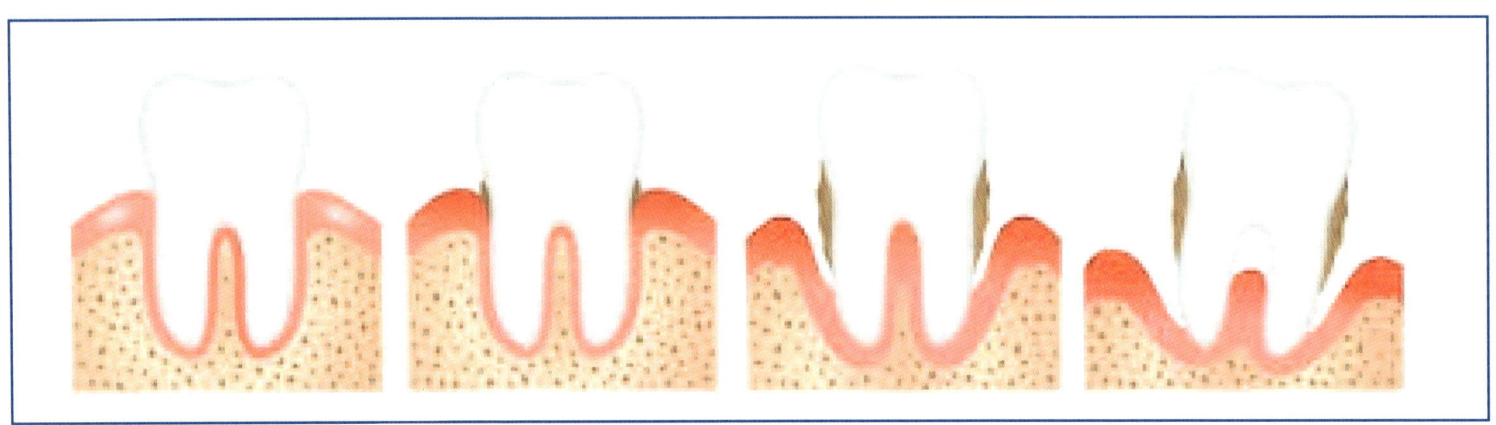

 치주질환 = 오래 방치시 '**전신질환**'으로 확대

- **심혈관질환** : 스트레스,흡연,나이등과 같은 요소는 치주질환과 일치하는 위험요소
- **당뇨병** : 혈당조절이 제대로 이뤄지지 않으면 잇몸 감염에 의한 치주질환이 치주골흡수, 치은염, 치아흔들림등 치아에 좋지 않은 여러 합병증 유발
- **폐렴, 류마티스관절염등**의 여러 건강문제를 초래

질문 19 '감액기간'과 '면책기간'에 대해 설명해 주세요?

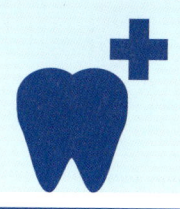

치아보험은 상품 특성상 가입은 쉬운 반면 '**모럴리스크**'의 위험성이 존재하는 상품이라 '**감액기간**'과 '**면책기간**'이 설정되어 있으므로 회사별 감액과 면책기간을 꼼꼼히 따져보고 **유리한 회사로 선택**하는 **노력**이 **필요**한 상품이다.

감액기간 [※보험사별 차이가 있을 수 있음]

예를 들면,
보철치료 : 보철치료인 '**임플란트, 틀니, 브릿지**'등은 **감액기간**이 '**2년**' (2년이내 50%)
보존치료 : **감액기간**이 '**1년**' (1년이내 50%)

면책기간 [※보험사별 차이가 있을 수 있음]

예를 들면,
치아보험에서 '**면책기간**'은 '**90일**' (보험효력이후 3개월내 보상청구시 면책)

치아보험

질문 20 치아보험에서 '보장개시일'을 알기 쉽게 설명해 주세요?

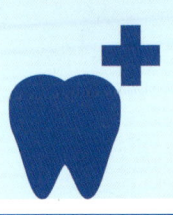

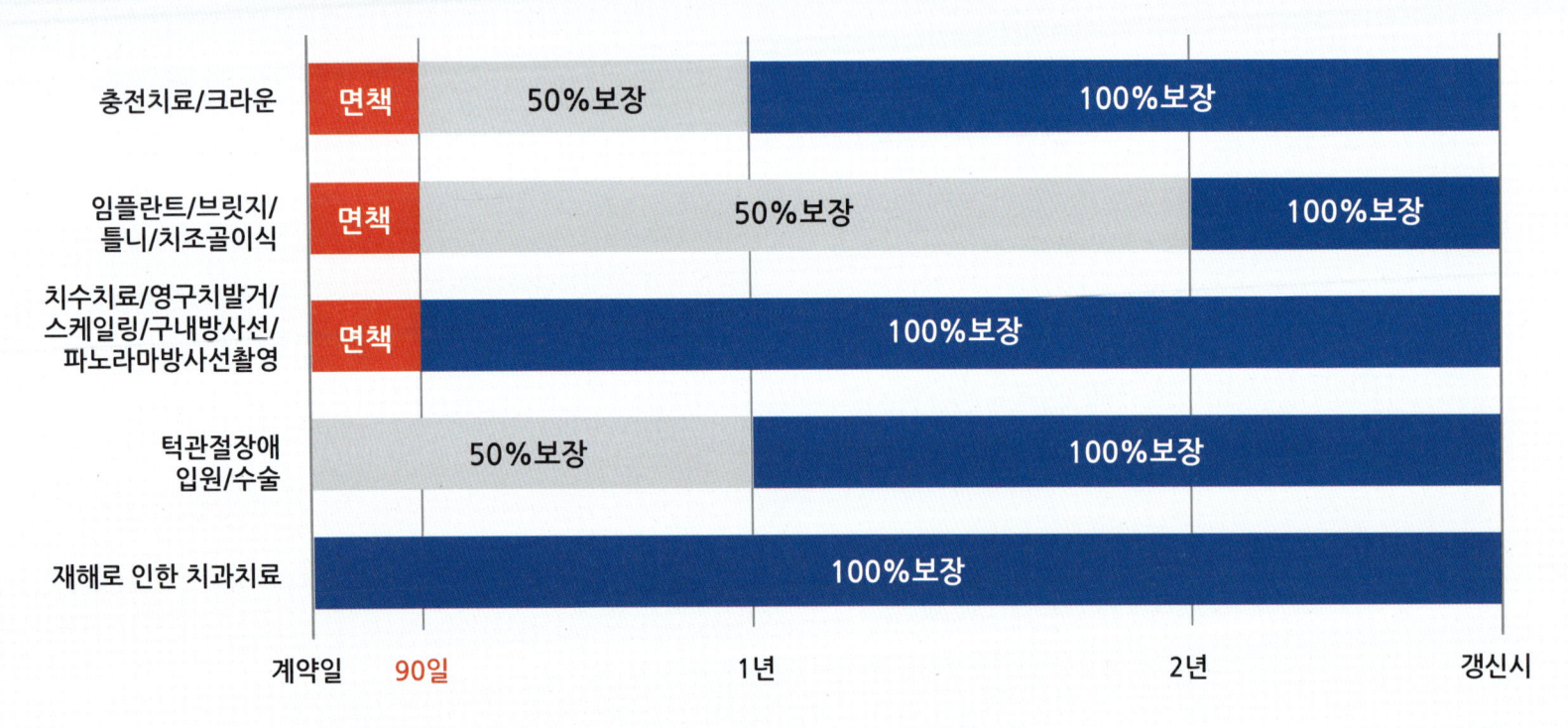

목차 [질문 21~30번]

21. 치아보험에서 '면책조항'에 대해 자세히 설명해 주세요?
22. 어린이 치아보험은 성인치아보험과 달리 어떤 담보를 중점적으로 가입해야 하나요?
23. 건강한 치아가 장수의 비결이고, 치아와 치매가 밀접한 관련이 있다면서요?
24. 치아관리를 잘못하면 신체의 다른 부위에 중대한 질병등으로 이어질수 있다면서요?
25. 스케일링은 어떤 효과가 있고, 보험적용은 되는 지 자세히 설명해 주세요?
26. 잇몸질환시 시중에 판매하는 약(인사X, 이가X)을 먹으면 잇몸건강에 도움이 되나요?
27. 턱관절질환에 대해 자세히 설명해 주고, 의료실비보험이나 치아보험에서 보상이 되나요?
28. 치아보험 중 최근 주력상품으로 자세히 비교설명해 주세요?
29. 가계부담 1위인 '치과비용'에 대해 자세히 설명해 주세요?
30. '임플란트가 보험적용'이 된다면서요? 어떤 경우가 해당되나요?

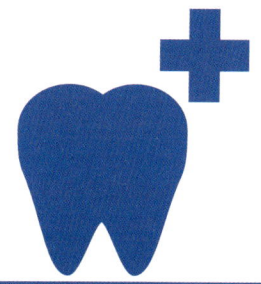

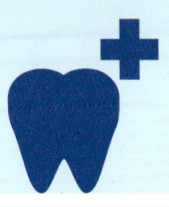

질문 21

치아보험에서 '면책조항'에 대해 자세히 설명해 주세요?

치아보험_면책조항

면책조항

1. **보장개시일 전에 치료를 진단확정** 받은 경우
   ① 충전치료 보장개시일 전에 받은 충전치료를 진단확정 받은 경우
   ② 크라운 치료 보장개시일 전에 해당 크라운치료 진단확정 받은 경우
   ③ 보철치료 보장개시일 전에 해당 영구치 발거를 진단확정 받은 경우 또는 발거 한 경우

2. **외상**에 의한 **치아손상(치아파절 등), 치아교모증, 치경부마모증, 치열교정 준비등 치아우식증(충치)**이나 **치주질환(잇몸질환)이외의 원인**으로 **치과치료**를 받은 경우 **또는 발거**한 경우 (단, 외상에 의한 치아손상(치아파절 등)은 발거 후 보철치료를 받은 경우는 보장)

3. **다른 치과치료를 위하여 임시 치과진료**를 한 경우

4. **이미 충전치료, 크라운치료를 받은 부위**에 대하여 **치아우식증(충치)** 또는 **치주질환(잇몸질환)에 기인하지 않는 수리, 복구, 대체치료**를 한 경우

5. **이미 가철성의치(틀니)치료, 고정성가공의치(브릿지)치료, 임플란트치료를 받은 부위**에 대하여 **수리, 복구, 대체치료**를 한 경우

6. **라미네이트** 등 미용 상의 치료

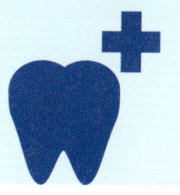

질문 22: 어린이 치아보험은 성인치아보험과 달리 어떤담보를 중점적으로 가입해야 하나요?

한국 아동 평균 충치 개수
1.84개

OECD 아동 평균 충치 개수 1.2개 보다 높음

※ 국내 12세 아동기준

국내 충치 치료 진료율 1위
만5~9세환자

충치치료 경험이 있는 아동
68.5%

충치치료 필요 유치 개수
만5세기준_평균 3.43개

유치치료 초기에 올바르게!!!

유치는 영구치보다 구성이 물러 충치가 빠르게 진행 되기 때문에 초기에 올바르게 치료!!!

어린이도 치과치료 건강보험 적용

단, 유치는 제외

영구치+유치치료 가능한 상품

유치치료
아말감.레진.인/온레이등
치아보존치료

영구치+유치치료 무제한 상품

개수.횟수 제한없는 무제한 보장상품 가입 필요

치아보험

고반물질30은 다모아미디어의 고유자산으로 무단 전제·복제 및 임의 사용시 저작권법 위반으로 5년이하의 징역 혹은 5천만원 이하의 벌금형이 부과됩니다.

질문 23 건강한 치아가 장수의 비결이고, 치아와 치매가 밀접한 관련이 있다면서요?

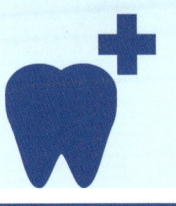

🦷 치아가 안좋으면 치매가능성 3배 높음

🦷 건강한 치아_효과

① 음식을 씹는 행위는 분명히 뇌혈류를 증가 : 혈관성치매 감소
② 턱을 움직이면 뇌로 가는 혈류가 증가 : 뇌에 많은 양의 산소 공급
③ 귀밑샘에서 '파로틴'이란 호르몬 분비 - 혈관의 신축성↑, 백혈구기능 활성화

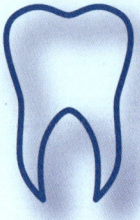

🦷 치아상실_질병유발

① 저작기능↓ -> 뇌자극↓ -> 초기치매 3.6배
② 저작기능↓ -> 단백질↓ -> 근육↓ -> 관절염·당뇨
③ 저작기능↓ -> 무기질·비타민↓ -> 빈혈·골다공증

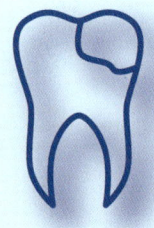

〈출처 : 스웨덴 우메오 대학 얀 베르그달 교수팀, 1962명 대상〉

질문 24

치아관리를 잘못하면 신체의 다른 부위에 중대한질병등으로 이어질수 있다면서요?

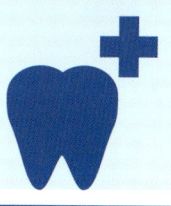

 예. 사실입니다.

입속 가장 지독한 균인 '**진지발리스균**'이 잇몸틈새로 혈관을 따라 온몸으로 이동하여 '**중대한질병**'의 원인이 됨

※ 중대한질병 : 암, 심혈관, 뇌혈관질환, 치매, 당뇨, 호흡기, 폐, 조산, 동맥경화, 류마티스, 관절염, 발기부전등

- 치주질환환자 : **당뇨병** 유병율이 일반환자보다 **2배** 높음 [미 콜럼비아대학 의대]
- 심한 잇몸병 임산부 : 저체중아 출산 및 조산위험 **7배** 높음 [미국치주과학회지]
- 치주염 환자 : 정상인보다 '동맥경화','뇌졸중','심장병'이 **2~3배증가** [분당서울대병원]
- 만성치주염 환자 : 류마티스관절염인 '강직성척추염환자'의 절반 [분당서울대병원]
- 잇몸병환자 : 만성폐질환과 폐렴이 정상인보다 **1.5배** 높음 [미국노인치과학회지]
- 70세이상 노인 : 상실치아로 해마가 작아져 치매 가능성을 높임 [일본도호쿠대학]
- 치매환자 뇌에서 잇몸세균의 항체가 발견 [영국센트럴랭커셔대학]
- 치주염이 알츠하이머 치매발병에 중요한 역할을 함 [미 연구팀]

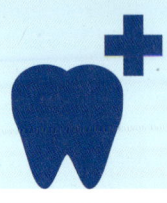

질문 25

스케일링은 어떤 효과가 있고, 보험적용은 되는 지 자세히 설명해 주세요?

🦷 스케일링_효과

- **구강관리** : 정기적인 스케일링으로 충치나 치석을 초기에 치료하여 구강을 청결하게 관리
- **구취제거** : 치석과 치태는 입냄새의 주된원인이므로 스케일링을 통해 입냄새 예방 가능
- **치주질환 예방** : 치석이 잇몸에 쌓이다 보면 잇몸병, 치주염이 발생되므로 미리 예방

🦷 스케일링_건강보험 적용됨

- **연1회** : 매년 1월1일마다 갱신됨
- **만20세이상 스케일링** : 건강보험 적용
- **보험적용** : 의료실비보험(본인부담분), 치아보험(스케일링 치료 담보되는 회사도 있음)

🦷 스케일링_오해

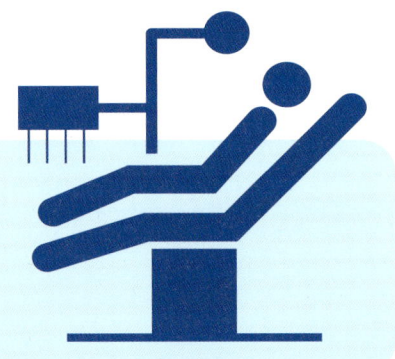

- **오해1** : 스케일링은 치아를 마모시킨다 : NO!!!
- **오해2** : 스케일링을 하면 치아가 벌어진다 : NO!!!

질문 26: 잇몸질환시 시중에 판매하는 약(인사X, 이가X)을 먹으면 잇몸건강에 도움이 되나요?

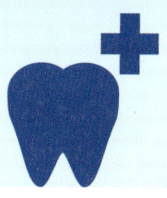

 잇몸약은 '**치주질환치료제**'가 아니고 **치아**의 영양제의 '**보조치료제**'

국내 치주질환 환자만 800만 명 이상으로 잇몸약 시장이 많이 커졌습니다.
잇몸약을 찾는 이유는 간단합니다.
치과를 가게 되면 무섭고 돈이 듭니다.
그리고 병원이란 곳을 좋아할 만한 사람은 아무도 없다는 것입니다.
이건 아무래도 보수적이었던 우리나라의 시대상을 반영하기도 합니다.
현대의학보단 한방을 더 찾고 시술보단 자가치료나 민간요법을 더 좋아합니다.

결론은
인사*과 이가*과 같은 잇몸약 도움이 안되는 것은 아닙니다.
잇몸에 도움이 될 수 있는 영양보조제입니다.
만약 잇몸질환이 있다면 치과에서 치료를 받는 것이 우선이며
예방을 위해선 규칙적이고 올바른 양치질보다 좋은 것은 없다는 것입니다.
이런 실천이 되는 자신의 환경일때 잇몸약은 도움이 될 수 있습니다.

치과 다니고

양치 잘하고

잇몸질환은 꼭 치과에서 해결하세요!!!

치아보험

고반물질30은 다모아미디어의 고유자산으로 무단 전제·복제 및 임의 사용시 저작권법 위반으로 5년이하의 징역 혹은 5천만원 이하의 벌금형이 부과됩니다.

질문 27

턱관절질환에 대해 자세히 설명해 주고, 의료실비 보험이나 치아보험에서 보상이 되나요?

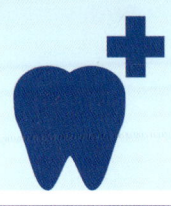

턱관절질환 [K07.6]

① 턱관절의 염증 또는 탈구로 인하여 통증과 잡음이 생기고 입을 벌리는 데 장애가 있는 질환
② 한국 인구의 약 30% 정도가 겪고 있는 질환으로 턱을 둘러싼 근육, 뼈, 관절의 배열이 틀어지거나 근육이나 연골 디스크 손상으로 발생하는 경우가 많음

1. 실손의료비담보에서 보장하는 전제조건은
  1) 국민건강보험법 또는 의료급여법 적용
  2) 치료목적
  3) 실손의료비담보에서 보장하는 손해

2. 현재 표준화된 실손의료비담보인 경우
  (2009.8월부터 가입한 경우)
  턱관절 치료에 대한 진단서상 질병코드가
  치과질환인 경우에는
  요양급여 중 본인부담금
  에 한하여 보장

3. 치과질환으로 보장하는 질병코드
  K00~K08

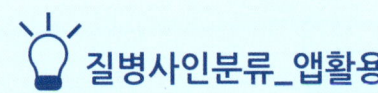 질병사인분류_앱활용

분류기호	질환내용
K00	치아의 발육 및 맹출 장애
K01	매몰치 및 매복치
K02	치아우식
K03	치아경조직의 기타 질환
K04	치수 및 근단주위조직의 질환
K05	치은염 및 치주질환
K06	잇몸 및 무치성 치조융기의 기타 장애
K07	치아얼굴이상 [부정교합포함]
K08	치아 및 지지구조의 기타 장애

질문 28 : 치아보험 중 최근 **주력상품**으로 자세히 **비교설명**해 주세요?

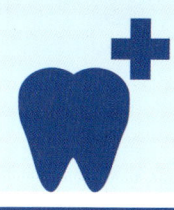

구분		생명보험 [라**생명_THE**치아보험V]	손해보험 [삼*생명_빠짐없이튼튼**]
보험기간		최대 80세 (갱신)	최대 80세 (갱신)
가입연령		5년 : 5~75세, 10년 : 0~70세	0~70세
자동갱신기간		5년, 10년갱신	5년, 10년갱신
보철	임플란트	150만원 (연간3개/2년↑ : 무제한(프리미엄))	100만원 ((2년↓ : 연간3개, 2년↑ : 무제한)
	전치부 임플란트	50만원 (연간3개/2년↑ : 무제한(프리미엄))	-
	재식립임플란트	150만원 (1년이후 재식립_동일부위당 최초1회한)	100만원 (2년↓ : 연간3개, 2년↑ : 무제한)
	브릿지	75만 (연간3개/2년↑ : 무제한(프리미엄))	50만 (2년↓ : 연간3개, 2년↑ : 무제한)
	전치부 브릿지	25만 (연간3개/2년↑ : 무제한(프리미엄))	100만 (무제한)
	틀니	150만 (연간1회)	100만 (연간1회)
보존	크라운	50만 (2년↓ : 연간3개, 2년↑ : 무제한)	40만 (연간3개)
	전치부 크라운	추가20만 (2년↓ : 연간3개, 2년↑ : 무제한)	-
	금/도재(세라믹)	30만 (제한없음)	20만 (제한없음)
	아말감,글래스아이노머	1만 (제한없음)	3만 (제한없음)
	금,도재,아말감이외	8만 (제한없음)	15만 (제한없음)
영구치발거		2만 (제한없음)	12만 (제한없음)
치수치료(신경)		2만 (제한없음)	3만 (제한없음)
감액기간		[보철] 90일↑~2년↓ 50%, [보존] 90일↑~1년↓ 50%	[보철] 90일↑~2년↓ 50%, [보존] 90일↑~1년↓ 50%
치아관련상해		재해 : 면책·감액없이 100%	재해 : 면책·감액없이 100%
납입면제		없음	없음
특이사항		***전치부** 치료특약(임플란트,브릿지,크라운(※신규담보)) ※ 전치부 : 치아번호 11,12,13,21,22,23,31,32,33,41,42,43(상악,하악각6개)	**영구치유지보험금** 100만원 (영구치만기시 전부유지시 지급) **치아올인원서비스**(덴탈케어서비스/모두다건치프로그램)

※ 비교 생명보험사 : 라**생명 / 삼성생명 치아보험 (24.4월말 기준)

치아보험

질문 29

가계부담 1위인 '치과비용'에 대해 자세히 설명해 주세요?

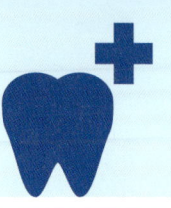

임플란트 가격

임플란트는 비급여 치료 항목으로

치과마다 가격이 천차만별

대한민국 치과 773곳 조사결과

최대가격	2,100,000원
평균가격	1,090,136원
최소가격	100,000원

[22년11월기준, 모두닥.com 건강정보 참조]

임플란트 수술환자 수 [심평원]

2020년 한해

임플란트시술 50만명!!!

- 2014년: 5,819
- 2015년: 70,661
- 2016년: 216,574
- 2017년: 392,239
- 2018년: 361,964
- 2019년: 514,703
- 2020년: 507,007

치과진료환자(2020년) 1,300만명

4년사이
189만명 증가

2016년 1,109만명
2020년 **1,298만명**

[22년3월, 국민건강보험공단 발표]

잇몸 피나는 치주질환 급증

진료비 4년간
43% 증가

2016년 1조 156억원
2020년 **1조 4천564억원**

[22년3월, 국민건강보험공단 발표]

고반물질30은 다모아미디어의 고유자산으로 무단 전제·복제 및 임의 사용시 저작권법 위반으로 5년이하의 징역 혹은 5천만원 이하의 벌금형이 부과됩니다.

질문 30: '임플란트가 보험적용'이 된다면서요? 어떤 경우가 해당되나요?

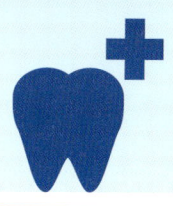

🦷 임플란트 보험적용 대상 [평생 2개 치아 적용]

① 만65세이상 대한민국 국민
② 잇몸에 치아가 아무것도 남지 않은 "무치악" 환자 제외
③ 상악동을 통과하는 임플란트 제외
④ 일체형 임플란트 제외
⑤ 보철치료로 PFM 크라운 이외의 크라운(PFG/지르코니아)을 사용하는 경우 제외

※ PFM크라운 : 아래 도표 <주>참고

[보험임플란트의 본인부담률]

담보명	2018년 7월1일 이전	2018년 7월1일 이후
일반적	50%	30%
차상위, 의료급여(2종)	30%	20%
차상위, 의료급여(1종)	20%	10%

🔍 크라운 종류별 가격 [2022년 기준]

크라운종류	특징	가격
메탈크라운	▫ 금 등 다른 비싼 크라운에 비해 반값 ▫ 내구성 강함 / 심미성 떨어짐	20~30만원대
골드치아크라운	▫ 독성X, 변색/부식X, 강도↑ ▫ 열 전도율 높아 이가 시리거나 하는 불편감 존재	50만원대 (금함량에 따라 차이 있음)
○ PFM크라운	▫ 메탈 제외하면 저렴한 크라운에 속함 ▫ 외부는 세라믹이라 약해서 어금니에 부적합 ▫ 겉이 치아색과 유사한 재질, 내부강도↑ ▫ 시간 경과하면 어둡게 보일 수 있는 단점 존재	40만원 전후
PFG크라운	▫ 골드의 장점을 가지면서도 심미성을 위해 외부를 세라믹으로 제작	골드크라운보다 가격대가 상당히 높음
지르코니아크라운	▫ 요즘 가장 각광 받고 있음(인조 다이아몬드) ▫ 강도 가장 높으면서도 심미적을 가장 우수	60만원대

치아보험

고객이 반드시 물어보는 질문 30가지
고반물질30
ver.20211101

태블릿앱 + 스마트폰앱 + 북 [손보·생보 각2권]

고반물질30_정의

보험세일즈북의 '실전편'

- 기존 보험세일즈북 : 보험세일즈의 교과서_이론편 [총160페이지]
- 고반물질 30 : 보험세일즈북의 참고서_실전편 [총500가지 질문]
  - 보험영업사원들이 24시간 언제, 어디서든 학습을 통해 생·손보 상품 총16개를 학습함으로써 생보출신이든 손보출신이든 원수사 조직이든 GA조직이든 보험의 전반적인 지식 체득 가능

고반물질30_구성   앱[스마트폰·태블릿] & 북[4권]

총16개과목 [손보8개+생보8개] : "총500개_교육동영상"

- 손해보험 [8개] : 260가지 질문
  ① 자동차보험(30개) ② 운전자보험(30개) ③ 의료실비보험(30개) ④ 화재보험(50개)
  ⑤ 배상책임보험(30개) ⑥ 암보험(30개) ⑦ 뇌·심·다빈도질병보험(30개) ⑧ 골프보험(30개)
- 생명보험 [8개] : 240가지 질문
  ① 종신·정기·CI보험(30개) ② 변액보험(30개) ③ 연금·저축보험(30개) ④ 단체보험(30개)
  ⑤ 간병보험(30개) ⑥ CEO플랜(30개) ⑦ 상속·증여(30개) ⑧ 치아보험(30개)

고반물질30_이용방법

플레이스토어 or 앱스토어 실행
=> "고반물질30" 검색
=> 다운로드 => 열기

- 고반물질30 앱은 구매후 사용 가능하며 구입문의는 뒷면 연락처로 문의 바랍니다.

고반물질30_샘플동영상

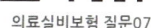

의료실비보험 질문07   CEO플랜 질문12   암보험 질문01

고반물질30은 동영상(태블릿 or 스마트폰)+교재(book)로 반복 학습하셔야 효과를 극대화 하실 수 있습니다

고객이 반드시 물어보는 질문 30가지

 고반물질30 _ 생명보험 1편

초판 1쇄 2020년 11월 15일
4 판 1쇄 2024년 05월 15일

지 은 이	이은석
발 행 인	조미경
디 자 인	다모아미디어
편 집 장	이영필

발 행 처	다모아미디어
주 소	울산광역시 남구 왕생로 45번길 10, 다모아빌딩
문의전화	010-4687-4930
홈페이지	www.damoamedia.com
출판신고번호	제 2020-000015호	**신고일자** 2020년 9월 29일

ISBN
ISBN

잘못된 책은 바꾸어 드립니다.

**이책은 저작권법에 따라 보호받는 저작물이므로 무단 전재와 무단 복제를 금하며,
책 내용의 전부 또는 일부를 이용하려면 반드시 다모아미디어와 저작권자의 동의를 받아야 합니다.**